D1032485

Mary Corpening Barber et Sara Corpening Whiteford

en collaboration avec Lori Lyn Narlock

Cocktail 50 recettes originales d'amuse-gueule *party*

Photographies de Carin Krasner

éditions proxima

Remerciements

Ce livre de recettes est le fruit de talents et de curiosités conjugués. Nous adressons nos plus sincères remerciements à ceux qui nous ont soutenues et encouragées :

Patricia Willets, qui nous a accompagnées à chaque tournant décisif et nous a éclairées de son immense savoir culinaire,

Bill LeBlond, notre éditeur, pour ses conseils clairvoyants,

Jane Dystel, pour ses remarques toujours judicieuses et constructives,

Jack et Erik, nos maris, qui sont les meilleurs goûteurs du monde, disponibles et patients,

Jackson, le dernier venu dans l'équipe, qui a renouvelé l'inspiration pendant la phase critique des essais,

Papa et Maman, nos premiers guides et soutiens indéfectibles,

Tori Ritchie, notre mentor,

Sara Deseran, toujours attentive et disponible,

et nos amis promus goûteurs : Victoria Reid, Lucy Bowen Caddell, Bruce Taylor, Gerri Shaw, Liza Williams, Larry Kandell, Wayne Hill, Andrea Cardoso, Tania et Richard Bennett, Mandy Schoch, Jeff Licata, Libit Schoch, Ann Beattie, Bill Whiteford, Mary Adkins, Lauren Bruder, sans oublier Franck Prissert.

Mary et Sara

Ouvrage publié pour la première fois aux États-Unis en 1999 par Chronicle Books, 85 Second Street, San Francisco, California 94105. sous le titre *Cocktail Food – 50 finger foods with attitude.*

Stylisme : Kimberly Huson, Kim Wong

Suivi éditorial pour l'édition française :
Muriel Bresson, Laurence Dechel

Traduction et adaptation : Evelyne Tritsch

PAO : Nathalie Lachaud, Francis Rossignol

ISBN : 2-84550-043-2
Numéro d'éditeur : 84550

Dépôt légal : octobre 2001
Achevé d'imprimer : septembre 2001
Imprimé en UE par Canale & C.

Sommaire

Introduction

Si vous en avez assez d'ouvrir des sachets de chips, de réchauffer des saucisses en boîte et d'offrir des bâtonnets de carotte trempés dans de la mayonnaise en pot, ouvrez ce livre et découvrez, bouchée après bouchée, des saveurs inédites, savoureuses et excitantes, des recettes originales et faciles à réaliser qui apporteront sur votre table une bouffée de fraîcheur et de nouveauté.

Aussi loin que remontent nos souvenirs, nous avons préparé des plateaux : enfants, nous aidions nos parents; adolescentes, nous invitions nos amis; alors, tout naturellement, adultes, nous nous sommes lancées dans la restauration et l'organisation de réceptions. Nous avons préparé et servi des centaines d'amuse-gueule et aujourd'hui nous vous proposons de découvrir nos cinquante recettes préférées pour renouveler vos buffets et offrir à chaque bouchée un cocktail de saveurs rajeunies.

Nous avons toujours adoré partager nos recettes et nos trucs, donner des conseils et répondre aux questions des uns et des autres. Notre livre reprend toutes ces informations, tous ces secrets, confiés à nos amis et à nos clients en réponse à leurs demandes. Nous espérons ainsi doper les imaginations et redonner confiance à ceux qui redoutent d'organiser une fête.

Les recettes de *Cocktail Party, 50 recettes originales d'amuse-gueule* sont simples et modernes, mais elles sortent de l'ordinaire. Nous avons indiqué à chaque fois ce qui peut être préparé à l'avance pour éviter la bousculade de dernière minute.

Les recettes sont réparties en trois chapitres, des goûts les plus prononcés aux saveurs les plus subtiles, en fonction du type d'alcools servis. Vous pouvez, bien sûr, panacher au gré de vos envies sans tenir compte des boissons proposées.

Si vous aimez recevoir autant que nous, laissez-vous séduire par ce livre et imaginez le menu de votre prochaine fête!

Pour que la fête soit réussie

Vous souhaitez faire la connaissance de vos nouveaux voisins? Accueillir votre futur gendre? Ou tout simplement réunir vos amis? Invitez-les à prendre un verre, servez quelques amuse-gueule et laissez faire. Il n'en faut pas plus pour passer un bon moment.

Pour recevoir, rien de plus simple que d'organiser un cocktail ou un buffet. La formule ne demande pas un gros investissement de temps et n'exige pas d'élaborer un menu en six plats successifs. Inutile de dépoussiérer le service de porcelaine et de compter les fourchettes à dessert. Vous pouvez lancer vos invitations plusieurs jours à l'avance ou vous décider à la dernière minute; à vous aussi de choisir le ton de votre fête: élégant et sophistiqué ou, au contraire, simple et décontracté. Il n'existe pas de recette miracle pour réussir une soirée, si ce n'est d'être détendu et d'avoir envie de s'amuser. Après tout, c'est votre fête.

Voici cependant quelques suggestions. Établissez un plan de travail et suivez-le, ne lésinez ni sur la boisson ni sur la nourriture (mieux vaut trop que pas assez), soignez la présentation de vos plats et plateaux, mariez judicieusement boissons et nourriture, qui doivent se compléter et non se nuire.

D'abord, faites des listes

Tout est une question d'organisation. Que vous lanciez vos invitations des semaines à l'avance ou que vous invitiez vos amis à la dernière minute, faites des listes. Calculez le nombre de convives attendus et la durée probable de la fête.

Soyez réaliste, rappelez-vous que ce type de réunions dure toujours plus longtemps que prévu. Ensuite, choisissez ce que vous allez servir. Cela correspond-il à votre budget ?

Avez-vous suffisamment de temps pour tout faire ? Ne voyez pas trop grand. Il n'y a pas de mal à servir un choix limité de mets. Mieux vaut surprendre vos invités avec une ou deux préparations très personnelles, associées à des alcools choisis, plutôt que de vous laisser déborder par une multitude de plats à préparer. Estimez le temps dont vous disposez et faites un compte à rebours. Établissez deux listes : d'un côté ce que vous pouvez préparer à l'avance, de l'autre ce que vous devrez gérer à la dernière minute. Achetez les boissons dans les jours qui précèdent, les denrées périssables au dernier moment. Comparez ces listes avec votre temps disponible et répartissez les tâches sur plusieurs jours. Prévoyez d'abord de préparer et de cuire les plats qui se congèlent, puis ceux qui se conservent au réfrigérateur ou à température ambiante pour finir par les préparations qu'il faut assembler au dernier moment.

Quand vous composez votre menu, vérifiez le temps nécessaire pour chaque recette et variez les modes de préparation pour ne pas avoir plusieurs choses à réchauffer ou à assembler au même moment. Choisissez un ou deux amuse-gueule que vous pourrez préparer la veille et servir froid ou à température ambiante, un ou deux qui occasionneront un petit coup de feu final, enfin une ou deux spécialités que vous servirez chaudes et ferez circuler. N'oubliez jamais qui sont vos invités: les copains du club de foot de votre mari ou le cercle de jardinage de votre mère ?

Le choix des quantités

Votre buffet peut constituer un repas à part entière ou seulement accompagner l'apéritif. Dans les deux cas, calculez toujours large. Prévoyez des plateaux de fromages ou de terrines sur canapés et des coupes de fruits. Vous serez plus tranquille et vos invités seront rassasiés.

Si votre buffet doit servir de repas, prévoyez cinq pièces par personne et par heure pendant les deux premières heures, puis trois pour les heures suivantes. Par exemple, si vous accueillez huit personnes pendant deux heures, comptez quatre-vingts pièces. Il vous faudra doubler ou tripler les quantités de nos recettes pour les adapter à vos estimations. Si votre buffet n'est que le prélude d'un vrai repas, ne comptez que quatre pièces par personne pour une heure.

Pour les boissons, comptez deux verres par personne et par heure pendant les deux premières heures, un seul pour les heures suivantes. Prévoyez, en règle générale, au moins un verre par invité (si vous n'en avez pas assez, vous pouvez en louer quelques-uns). Comptez 200 g de glace par personne pour les deux premières heures et 400 g pour une réception durant plus de trois heures. Envisagez plus si les boissons ne sont pas déjà froides et, bien sûr, s'il fait chaud et que vous recevez à l'extérieur.

Voici quelques indications qui vous permettront d'évaluer le nombre de bouteilles à acheter, en fonction du nombre de verres à servir : une bouteille de 75 cl de vin ou de champagne contient environ six verres ; la même quantité de liqueur ou d'alcool permet de servir environ seize personnes. Comptez une canette ou une petite bouteille de bière par personne.

Malheureusement, si vous offrez un large choix de boissons, vous ne pouvez pas deviner ce que vos hôtes vont demander et toute estimation devient hasardeuse. Prévoyez si possible de la vodka, du rhum, du whisky ou du bourbon, de la tequila et du gin et, pour préparer vos cocktails, achetez des jus de fruits, du Schweppes et de l'eau gazeuse, des sodas et du jus de citron. Pensez à choisir de petites bouteilles, que vous pourrez conserver jusqu'à la prochaine occasion. Achetez suffisamment de vin, de bière ou de champagne : au moins un verre de chaque par invité.

Vous devez également tenir compte du profil de vos invités : sont-ils plutôt sobres ou plutôt fêtards ? Ils n'auront pas la même consommation d'alcool ! Un autre facteur est à prendre en compte : le jour de la semaine et l'heure de votre réception. Les gens boivent davantage le week-end.

En cas de doute sur la quantité de nourriture et de boissons nécessaires, achetez davantage que prévu. Vous pourrez manger les restes le lendemain et quelques bonnes bouteilles sur une étagère sont toujours les bienvenues. Ouverte, une bouteille d'alcool se conserve très longtemps et une bouteille de vin blanc peut rester une semaine au réfrigérateur ; en revanche, une bouteille de vin rouge débouchée doit être bue rapidement. Vous pouvez aussi vous servir de vos fonds de bouteille de vin ou de bière pour cuisiner.

Enfin, dernier détail d'importance. Si des amuse-gueule servis sur des plateaux permettent d'éviter l'usage des couverts, pensez à placer des serviettes en papier : quatre par personne et par heure (deux suffisent si vous choisissez d'utiliser des serviettes en tissu). Les assiettes sont inutiles si vous faites circuler des plateaux ou si vous installez plusieurs petits buffets. Dans certains cas, quelques assiettes permettront à vos hôtes de se faire un petit assortiment et de circuler. Choisissez des assiettes à dessert plutôt que de grandes assiettes qui sont encombrantes et difficiles à manipuler en même temps qu'un verre.

C'est la première impression qui compte

Soignez la présentation de vos plateaux, c'est si facile. Improvisez, il suffit d'un peu d'imagination. Si vous ne disposez pas d'un service en porcelaine, prenez de petites assiettes de couleur, des plateaux en osier, des carreaux de céramique peints, des paniers, des coupes en verre, des miroirs, des planches à découper, des plaques de pierre ou de marbre et de grandes vasques creuses. Recouvrez vos plats ordinaires de napperons ou de serviettes brodés, d'un lit de feuilles (assurez-vous qu'elles ne sont pas toxiques) ou d'un tapis d'herbes et ajoutez quelques fleurs.

Si vos invités sont peu nombreux et vont rester assis la plupart du temps, disposez les plateaux à portée de main, sur plusieurs tables et guéridons placés autour et au centre du groupe. Pour une réception plus importante dans un espace limité, installez un buffet principal et faites passer quelques plateaux ; en revanche, si les personnes circulent dans un lieu très ouvert, prévoyez plusieurs buffets qui leur permettront de grignoter tout en allant de groupe en groupe.

Une question d'équilibre

Nous avons regroupé nos recettes en trois chapitres, en fonction des boissons qu'elles accompagnent. *Forts en bouche* propose des saveurs relevées à servir avec des short drinks (manhattan) ou des vins corsés (bourgogne ou cahors). *Entre-deux* offre un choix d'amuse-gueule se mariant à des cocktails peu alcoolisés ou à des vins fruités. Enfin, vous trouverez dans *Fines bouches* des recettes qui feront merveille avec un champagne, un apéritif pétillant ou une bière blonde et légère.

Aidez-vous de ces suggestions pour composer votre menu et choisir vos boissons. Si vous voulez créer vos propres assortiments, gardez en mémoire certaines règles essentielles :

– **tenez compte du degré d'alcool de la boisson**. Des saveurs relevées doivent répondre aux boissons fortement alcoolisées. Sélectionnez des plats au goût prononcé et généreux. Un fromage fort convient à un rouge corsé, mais heurte un kir royal ; un morceau d'agneau épicé s'accorde à un rob roy (cocktail à base de whisky, vermouth et angostura), mais anéantit un vin blanc pétillant ;
– **trouvez un juste équilibre entre saveur et consistance.** Imaginez comment boissons et mets vont s'accorder sous le palais. Vont-ils s'imposer et prendre possession de vos papilles ou s'insinuer et se laisser découvrir en douceur ? Les goûts ne doivent ni se détruire ni se masquer mutuellement, comme le ferait une asperge citronnée confrontée à un vin pétillant ;
– **rappelez-vous que les contraires s'attirent.** Associez des mets et des boissons qui se complètent. Coupez la richesse d'une saveur avec un cocktail à la fraîcheur incisive, voilez la morsure d'une épice avec un vin doux, équilibrez une bouchée très salée à un mélange fruité. Ainsi, une viande épicée révélera tout son arôme au contact d'une margarita (voir page 124) ou d'une bière fruitée.

Quelles quantités prévoir ?

Les tableaux de la page ci-contre résument de façon claire et rapide les quantités à prévoir. Il s'agit d'indications et non de règles infaillibles. D'une réception à l'autre, on observe des écarts notables : ici, dix invités savoureront quelques bouchées choisies ; là, vous verrez huit affamés dévaliser votre buffet. Ces tableaux sont des points de départ qui vous aideront à déterminer ce dont vous aurez besoin.

Remarque

Nous avons distingué deux hypothèses : le simple apéritif et le buffet tenant lieu de repas.

Quelques contenances

Vin et champagne : une bouteille de 75 cl contient six verres.

Alcool : une bouteille de 75 cl permet de servir seize personnes.

APÉRITIF SERVI À 4 PERSONNES UNE SEULE BOISSON PROPOSÉE	DURÉE DE LA RÉCEPTION 1 HEURE	 1 HEURE ET DEMIE	 2 HEURES
vin ou champagne (bouteilles de 75 cl)	2	2	3
ou bières (bouteilles de 25 cl)	8	10	12
ou alcool (bouteilles de 75 cl)	1	2	2
verres	6	6	8
serviettes	16	20	24
petits fours (nombre de pièces)	16	24	32

BUFFET FROID SERVI À 12 PERSONNES AVEC UN LARGE CHOIX DE BOISSONS (BAR COMPLET)	DURÉE DE LA RÉCEPTION 1 HEURE	 2 HEURES ET DEMIE	 3 HEURES
vin ou champagne (bouteilles de 75 cl)	4	6	8
ou bières (bouteilles de 25 cl)	24	32	36
ou alcool (bouteilles de 75 cl)	2	2	3
verres	18	24	36
serviettes	36	48	60
petits fours (nombre de pièces)	120	138	156

Forts en bouche

Des saveurs riches pour accompagner des vins corsés et des short drinks.

FROMAGES RACÉS, PIMENTS EXOTIQUES, VIANDES SAIGNANTES, FINES HERBES ET AROMATES, champignons chargés d'humus et sauces épicées : voici une explosion de saveurs concentrées en bouchées individuelles. Elles entrent dans la danse avec un seul désir, se mesurer à des cocktails musclés. N'ayez pas peur, ouvrez votre cave et choisissez des vins corsés, composez des cocktails concentrés et servez des whiskies serrés. Ces amuse-gueule méritent des partenaires à leur hauteur.
Vous manquez d'idées ? Essayez un apéritif au vermouth ou une soirée whisky.

Apéritif au vermouth

Son évocation seule suffit à vous faire saliver : un verre givré rempli d'un liquide chatoyant ; une première gorgée, glacée, de gin et cet ultime baiser sur votre palais, le parfum de l'olive. Alors, cessez de fantasmer, téléphonez à cinq ou six amis et invitez-les à boire le plus déluré des cocktails.

Six convives, quelques martinis (le cocktail, à ne pas confondre avec la boisson commercialisée du même nom, voir page 124) et un choix d'amuse-gueule.

Achetez du gin, du vermouth et de la vodka (aromatisée si vous êtes audacieux), procurez-vous beaucoup de glace (plus d'un kilo) et choisissez toutes sortes d'olives assaisonnées ou fourrées. N'oubliez pas les zestes d'orange et de citron.

Et pour compléter votre menu, cuisinez (en divisant les quantités par deux) des *Noix des rois* (page 29), que vous préparerez la veille et conserverez à température ambiante, des *Drakkars* (page 47), aux forts accents fumés, et des *Berlingots d'aubergine* (page 40), que vous servirez chauds et dont le succès est garanti.

Soirée whisky

Le tintement de la glace qui tombe au fond du verre, le pétillement du soda suivi du glouglou de votre alcool préféré. Vraiment, rien ne vaut un bon verre de whisky, qui repose au creux de votre paume comme une poignée de main amicale. Quel meilleur prétexte pour réunir une dizaine d'amis un samedi soir ? Servez-leur des mélanges dûment éprouvés ou testez vos propres créations.

Si vous comptez les garder trois heures, préparez au moins 25 verres, 2,5 kilos de glace et 50 serviettes en papier. Ne vous limitez pas au whisky, procurez-vous aussi du bourbon, du gin, de la tequila, de la vodka et du rhum, sans oublier du jus d'orange et du jus de citron, de l'eau gazeuse et des sodas. Complétez votre bar avec des olives, des tiges de céleri, des zestes d'orange et de citron vert et, bien sûr, n'oubliez pas les agitateurs à cocktail !

Vous proposerez des ravioles de poulet au chutney (*La poule aux yeux d'or*, page 50) qui se font la veille et se conservent à température ambiante, des *Aiguillées d'agneau* (page 34) qui offrent un savoureux répit et des *Larmes de bonheur* (page 45) que vous pouvez préparer à l'avance et réchauffer à la dernière minute. Dans ce cas, doublez les quantités des trois recettes et offrez aussi un bon plateau de fromages et une assiette de crudités.

Biscuits du bayou

BISCUITS FOURRÉS À L'ANDOUILLETTE

Ces petits biscuits feuilletés d'inspiration cajun accompagnent traditionnellement du jambon fumé de Virginie. Ils sont ici fourrés avec des rondelles d'andouillette grillées. Utilisez de préférence de la farine à pâtisserie fluide pour obtenir des biscuits légers et floconneux.

Pour 48 biscuits environ :
225 g de farine fluide
2 cuillerées à café d'ail moulu
2 cuillerées à café d'origan
2 cuillerées à café de thym
2 cuillerées à café de sucre
2 cuillerées à café de levure chimique
1 cuillerée à café de paprika
1 pincée de sel
50 g de beurre, en morceaux
180 ml de crème fraîche épaisse
115 g d'andouillette en rondelles de 5 mm d'épaisseur
65 ml de mayonnaise

Préchauffez le four à 200 °C (thermostat 6).

Mettez la farine, l'ail, l'origan, le thym, le sucre, la levure chimique, le paprika et le sel dans le bol d'un robot électrique et mélangez.

Ajoutez le beurre et mélangez par impulsions successives. Ajoutez la crème, mélangez jusqu'à la formation d'une boule. Arrêtez aussitôt. Posez la boule de pâte sur une surface farinée, pétrissez-la légèrement puis étendez-la sur une épaisseur de 5 mm. Découpez des cercles de 3,5 cm de diamètre à l'aide d'un emporte-pièce ou d'un verre. Disposez les biscuits sur une plaque recouverte de papier sulfurisé. Enfournez de 10 à 15 minutes, retirez les biscuits dès qu'ils brunissent.

Faites chauffer un grand poêlon à feu moyen et dorez les rondelles d'andouillette. Mettez-les à refroidir sur une feuille de papier absorbant.

ASSEMBLAGE : Préchauffez le four à 175 °C (thermostat 4). Coupez les biscuits en deux. Mettez la mayonnaise dans une poche à douille ou un sac de congélation; faites un petit trou dans un des coins et répartissez la mayonnaise de façon égale sur les demi-biscuits. Posez une tranche d'andouillette sur les moitiés du dessous et recouvrez de l'autre moitié. Réchauffez les biscuits fourrés de 5 à 7 minutes au four.

QUE PRÉPARER À L'AVANCE? Une semaine avant, vous pouvez préparer et congeler les biscuits non cuits; décongelez-les avant de les cuire. Si vous les cuisez la veille, conservez-les à température ambiante en les fourrant 3 heures avant de les servir. Vous pouvez aussi tout préparer (pâte, cuisson et garniture) 1 semaine avant et tout placer au congélateur, en prévoyant de décongeler avant réchauffage.

Delhi blues

PETITS-FOURS AU BLEU D'AUVERGNE ET AUX NOIX,
RELEVÉS D'UNE POINTE DE CHUTNEY

Un cocktail de saveurs dans ces petits fours sablés, où se mêlent le goût puissant du bleu d'Auvergne et les éclats épicés d'un chutney indien à base de mangues. Si vous manquez de temps, vous pouvez servir ces sablés sans garniture, car ils sont délicieux nature.

Pour 36 petits-fours :
150 g de bleu d'Auvergne à température ambiante
50 g de beurre à température ambiante
75 g de farine
40 g de Maïzena
1 pincée de poivre
1 pincée de sel
50 g de noix broyées
3 cuillerées à soupe de fromage blanc
3 cuillerées à soupe de chutney (voir note page suivante)
75 g de cerneaux de noix grillés
1 bouquet de persil

Placez le bleu d'Auvergne et le beurre dans le bol d'un robot électrique, mixez pour obtenir une pâte crémeuse. Mélangez à part la farine, la Maïzena, le poivre et le sel, puis versez dans le bol et mixez. Incorporez les noix broyées à la pâte en veillant à ne pas la travailler trop longtemps. Sortez-la du bol et formez une boule que vous placerez, enveloppée dans un film plastique, 1 heure au moins au réfrigérateur pour qu'elle repose.

Préchauffez le four à 160 °C (thermostat 3).

Posez la pâte entre deux feuilles de plastique et étalez-la sur 3 mm d'épaisseur. Retirez le plastique et découpez des cercles de 2 à 3 cm de diamètre en utilisant un emporte-pièce à bord cannelé. Disposez les sablés au bleu sur une plaque garnie d'une feuille de papier sulfurisé. Avec la pâte restante, formez une nouvelle boule et répétez l'opération. Faites cuire 25 minutes environ et retirez dès que les biscuits sont dorés. Laissez-les refroidir.

Assemblage : Étalez un peu de fromage blanc sur chaque sablé, recouvrez d'un cerneau de noix, de chutney et d'une feuille de persil.

Que préparer à l'avance ? Les sablés au bleu peuvent être préparés 3 jours avant et conservés dans une boîte hermétique. Placez la garniture 1 heure avant de servir.

Note : Choisissez de préférence le chutney Major Grey de la marque Sharwood pour sa saveur épicée particulièrement originale.

Les agneaux de Marie

COUPELLES D'AGNEAU ET DE FETA À LA MENTHE

N'ayez pas peur d'utiliser les feuilles de brick (que vous trouverez dans le même rayon que les pâtes à tarte) : elles vous permettront de réaliser ces coupelles légères et feuilletées. Pendant votre travail, couvrez les feuilles restantes avec un film plastique et une serviette humide pour les empêcher de se dessécher.

Pour 48 coupelles :
1 moule à muffins
(à 6 ou 8 alvéoles)
6 feuilles de brick coupées
en 48 carrés de 5 cm de côté
(superposez les 6 feuilles pour
les couper en une seule fois)
30 g de beurre fondu
1 cuillerée à soupe d'huile
2 oignons hachés
2 cuillerées à soupe d'ail moulu
1 pincée de sel
1 pincée de poivre
225 g d'agneau (épaule, collier)
coupé en dés
100 g de cassis
1 cuillerée à café de cumin
moulu
1/2 cuillerée à café
de gingembre moulu
1/2 cuillerée à café de cannelle
1/2 cuillerée à café
de quatre-épices
1 petit bouquet de menthe
fraîche coupée en lamelles
50 g de feta

Préchauffez le four à 175 °C (thermostat 4).

Tapissez le fond des petits moules individuels (2,5 cm de diamètre) avec trois carrés de brick puis tapissez les côtés du moule avec trois autres carrés pour former une coupelle. Badigeonnez de beurre fondu. Faites cuire doucement de 4 à 6 minutes; retirez quand les coupelles de brick sont dorées. Laissez-les refroidir puis disposez-les sur une plaque, en les couvrant d'un film plastique.

Chauffez l'huile à feu moyen dans une poêle, ajoutez l'oignon et l'ail, salez et poivrez. Faites revenir 5 à 7 minutes ; quand l'oignon est fondant, ajoutez les dés d'agneau, les cassis, le cumin, le gingembre, la cannelle et le quatre-épices. Faites cuire 5 minutes environ, pour une viande plus ou moins rose. Vérifiez l'assaisonnement et incorporez la menthe.

ASSEMBLAGE : Mettez 1 grosse cuillerée de viande dans chaque coupelle et recouvrez d'un dé de feta. Servez chaud.

QUE PRÉPARER À L'AVANCE? Les coupelles peuvent être préparées 5 jours avant et conservées dans une boîte hermétique. Vous pouvez cuisiner l'agneau 2 jours avant et le garder au réfrigérateur (ajoutez la menthe au moment de servir). Enfin, vous pouvez remplir les coupelles 1 heure avant de les servir et les réchauffer au four (150 °C, thermostat 2/3) pendant 5 minutes.

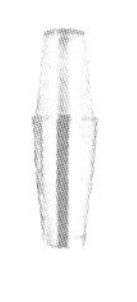

Groing !

BROCHETTES DE PORC ET DE POIVRON ROUGE, SAUCE À LA MANGUE

Le contraste chaud-froid fait tout le succès de ces brochettes aux accents pimentés des Caraïbes. Une sauce glacée mais poivrée enveloppe les saveurs du porc et du poivron. Servez la sauce dans un demi-poivron rouge, dont vous aurez coupé le fond pour assurer la stabilité de votre « coupelle ».

Pour 36 brochettes environ :

Sauce d'accompagnement :

- 2 mangues grossièrement hachées
- 2 cuillerées à soupe de jus d'ananas
- 2 cuillerées à café de jus de citron vert
- 1 cuillerée à café de sel
- 2 cuillerées à soupe d'oignon rouge haché
- 1 cuillerée à soupe de coriandre
- 1/2 cuillerée à café de piment doux moulu

Brochettes :

- 500 g de filet de porc, coupé en dés de 2 cm
- 1 gros poivron rouge, coupé en dés de 2 cm
- 2 cuillerées à soupe d'huile d'olive
- 2 cuillerées à café de paprika
- 2 cuillerées à café d'oignon moulu
- 2 cuillerées à café de cannelle
- 1 cuillerée à café de quatre-épices
- 36 piques à bois (voir note page 25)

Préchauffez le four à 230 °C (thermostat 8).

Préparez la sauce. Mettez les mangues, le jus d'ananas, le jus de citron vert, une pincée de sel dans un bol, mixez pour obtenir un mélange grossier. Ajoutez l'oignon, la coriandre et le piment doux. Mélangez bien et placez au réfrigérateur. Au moment de servir, la sauce doit être très froide.

Mettez les morceaux de porc et de poivron dans une terrine, arrosez avec l'huile d'olive. Mélangez à part le paprika, l'oignon moulu, la cannelle, le quatre-épices et une pincée de sel puis versez sur le porc. Mélangez bien.

Assemblage : Enfilez sur chaque pique un morceau de poivron, la peau vers le haut, et un morceau de porc. Alignez les brochettes sur une plaque de cuisson et enfournez de 10 à 15 minutes pour que la viande soit cuite à cœur. Servez avec la sauce à la mangue.

Que préparer à l'avance? La veille, vous pouvez préparer les brochettes (ne mettez pas de sel, vous salerez au moment de la cuisson) et la sauce à la mangue (elle risque d'épaissir, ajoutez alors un peu de jus d'ananas).

Note : Laissez tremper les brochettes dans l'eau une bonne quinzaine de minutes pour éviter qu'elles ne brûlent ou n'éclatent au four.

Fondants au saumon fumé

BOULETTES DE SAUMON FUMÉ AU FROMAGE BLANC

Servez ces boulettes moelleuses qui fondent dans la bouche avec une vodka Martini citronnée ou un gin-fizz, en apéritif ou pour un brunch. Un petit conseil : prévoyez large. Une fois servis, les fondants disparaissent comme neige au soleil.

Pour 36 fondants :
350 g de fromage blanc à température ambiante
150 g de saumon fumé, découpé en lamelles
4 cuillerées à soupe de ciboulette hachée
2 cuillerées à soupe d'aneth frais haché
1 grosse cuillerée à soupe de raifort
2 cuillerées à café de jus de citron
1 pincée de poivre
75 g de farine
1 œuf battu
250 g de chapelure
huile d'arachide pour la friture

Mettez le fromage blanc, le saumon, la ciboulette, l'aneth, le raifort, le jus de citron et le poivre dans le bol du mixeur. Mélangez quelques instants, arrêtez avant d'obtenir un mélange lisse. Avec une cuiller à soupe, déposez la préparation en petits tas sur une plaque recouverte de papier sulfurisé. Couvrez d'un film plastique et placez au réfrigérateur une demi-heure pour durcir la pâte.

Versez la farine, l'œuf et la chapelure dans trois bols différents. Plongez chaque boule de la préparation dans la farine, secouez pour enlever le surplus et formez de petites boules bien rondes que vous plongerez dans l'œuf battu puis dans la chapelure. Alignez les boulettes sur une plaque. Quand elles sont toutes prêtes, recouvrez d'un film plastique et mettez au réfrigérateur 20 minutes.

Versez l'huile d'arachide dans une casserole sur une hauteur de 7 cm environ et faites chauffer à 175 °C. Mettez les boulettes à frire par petites

quantités 2 minutes environ. Quand elles sont craquantes et dorées, retirez-les et déposez-les sur du papier absorbant pour éponger l'excès d'huile. Servez chaud.

Que préparer à l'avance ? La préparation au saumon peut être réalisée la veille et conservée au réfrigérateur. Les boulettes peuvent être panées 3 heures avant et conservées au frais, ou 2 semaines avant et congelées (dans ce cas, décongelez-les 45 minutes avant de les frire). Vous pouvez frire les boulettes 3 heures avant de les servir et les réchauffer de 5 à 7 minutes à 175 °C (thermostat 4) au moment de les déguster.

La noix des rois

NOIX DE PÉCAN GRILLÉES ET FOURRÉES AU ROQUEFORT

Un délice qu'apprécieront les amateurs de fromage. Autre qualité de ces bouchées faciles à préparer : elles sont aussi jolies qu'appétissantes sur un plateau (vous pouvez les présenter sur un tapis de brins de ciboulette). Si vous devez réduire les quantités, faites le mélange de fromages à la main, plutôt qu'au robot électrique.

Pour 48 noix :
96 cerneaux de noix de pécan (environ 150 g)
80 g de fromage blanc à température ambiante
60 g de roquefort à température ambiante
2 cuillerées à café de porto
1/2 cuillerée à café de miel
1 pincée de poivre noir broyé
ciboulette hachée pour le décor

Préchauffez le four à 175 °C (thermostat 4).

Alignez les cerneaux de noix de pécan sur une plaque de cuisson et enfournez-les de 7 à 10 minutes. Une fois grillées, sortez-les du four et laissez-les refroidir.

Mélangez au mixeur le fromage blanc, le roquefort, le porto, le miel et le poivre jusqu'à obtenir une pâte lisse. Placez la préparation dans un sac de congélation.

ASSEMBLAGE : Disposez 48 cerneaux de noix de pécan, côté plat dessous, sur un plateau. Coupez un coin du sac où se trouve la préparation au roquefort et pressez doucement une petite quantité sur chaque demi-noix. Recouvrez avec les autres moitiés, face plate dessous, et déposez à nouveau un peu de crème de roquefort. Saupoudrez chaque noix de ciboulette hachée.

QUE PRÉPARER À L'AVANCE? Les noix de pécan peuvent être grillées 3 jours à l'avance et conservées dans une boîte hermétique. La crème de roquefort peut être préparée 3 jours avant et conservée au réfrigérateur (faites-la tiédir à température ambiante avant de l'étaler.) Vous pouvez fourrer les noix 3 heures avant de les servir et les faire attendre à température ambiante.

Chapeau !

CHAPEAUX DE CHAMPIGNONS DE PARIS FOURRÉS AU FROMAGE DE CHÈVRE ET AUX ÉPINARDS

Voici une recette qui a fait ses preuves. À chaque fois que nous en proposons, les invités se faufilent à la cuisine pour avoir la recette de ces amuse-gueule redoutablement bons. Choisissez des champignons de même taille, ni trop grands (de la taille d'une bouchée) ni trop petits (le chapeau réduira lors de la cuisson).

Pour 36 champignons :
huile d'olive
2 oignons hachés
sel et poivre
225 g de fromage de chèvre frais à température ambiante
2 cuillerées à soupe de crème fraîche épaisse
1 pincée de noix de muscade en poudre
250 g d'épinards hachés, décongelés
250 g de bacon haché
36 chapeaux de champignons de Paris

Préchauffez le four à 175 °C (thermostat 4).

Faites chauffer 2 cuillerées à soupe d'huile d'olive dans une poêle à feu moyen. Ajoutez les oignons, salez et poivrez, faites revenir de 5 à 7 minutes. Transvasez les oignons dans un bol ; quand ils ont refroidi, ajoutez le fromage de chèvre, la crème fraîche et la noix de muscade. Mélangez bien.

Égouttez complètement les épinards en les pressant à la main. Ajoutez-les, avec le bacon, à la préparation. Mettez au réfrigérateur.

Dans une autre poêle, chauffez 2 cuillerées d'huile d'olive à feu moyen. Mettez la moitié des chapeaux de champignon, salez et poivrez. Faites revenir 4 minutes de chaque côté. Quand ils sont tendres et dorés, retirez-les du feu et posez-les à l'endroit sur du papier absorbant. Essuyez la poêle, remettez 2 cuillerées à soupe d'huile d'olive et renouvelez l'opération avec les chapeaux restants.

ASSEMBLAGE : Posez 1 grosse cuillerée à café de crème de chèvre aux épinards dans chaque chapeau ; réchauffez de 5 à 7 minutes et servez chaud.

QUE PRÉPARER À L'AVANCE ? Vous pouvez, 2 jours avant, faire la crème de chèvre aux épinards et garnir les champignons, en les conservant au réfrigérateur. Réchauffez au moment de servir.

WISDOM

Sésame de crevettes

CREVETTES ENROBÉES DE GRAINES DE SÉSAME,
SAUCE AU GINGEMBRE

Placez près du plat de crevettes une coupelle où les invités pourront se débarrasser des queues.

Pour 24 crevettes :

Sauce d'accompagnement :

125 ml de mayonnaise
80 ml de tahini (beurre de sésame, en vente dans les épiceries orientales)
2 cuillerées à soupe de saké doux (mirin)
2 cuillerées à soupe de sauce de soja
2 cuillerées à soupe de vinaigre de riz
2 cuillerées à soupe de jus de citron vert
2 cuillerées à soupe de gingembre frais râpé
1 cuillerée à soupe d'huile de sésame

Crevettes :

24 crevettes de taille moyenne (500 g environ) décortiquées, avec une belle queue
2 cuillerées à café d'huile
sel et poivre
3 cuillerées à soupe de graines de sésame

Pour préparer la sauce, mettez la mayonnaise, le tahini, le saké, la sauce de soja, le vinaigre de riz, le jus de citron vert, le gingembre râpé et l'huile de sésame dans le bol du mixeur, mélangez bien. Placez la sauce au réfrigérateur 2 heures environ.

Préchauffez le four à 230 °C (thermostat 8).

Plongez chaque crevette dans un bol rempli de 2 cuillerées d'huile salée et poivrée, puis recouvrez une de ses deux faces de graines de sésame. Alignez les crevettes sur une plaque de cuisson, la face couverte de sésame tournée vers le haut. Enfournez de 5 à 7 minutes, jusqu'à cuisson complète. Servez les crevettes chaudes, accompagnées de la sauce sortie du réfrigérateur.

QUE PRÉPARER À L'AVANCE ? Vous pouvez préparer la sauce 3 jours avant et cuire les crevettes 8 heures avant de les servir (conservez les crevettes et la sauce au réfrigérateur.)

Aiguillées d'agneau

BROCHETTES D'AGNEAU SERVIES AVEC UNE MOUTARDE À LA MENTHE

Le mélange de menthe et de moutarde souligne le goût prononcé de l'agneau. Entourez le plat d'une guirlande de romarin et n'oubliez pas de placer à proximité un petit verre où déposer les piques à cocktail usagées.

Pour 24 brochettes environ :
Marinade :
65 ml d'huile
1 petit oignon haché
2 cuillerées à soupe de vin rouge
2 brins de romarin frais
2 gousses d'ail
1 cuillerée à soupe de moutarde

350 g de filet d'agneau, coupé en deux s'il dépasse 7 cm d'épaisseur
24 piques à cocktail

Sauce d'accompagnement :
70 ml de moutarde
70 ml de crème fraîche
2 cuillerées à soupe de sirop de menthe
sel et poivre

Mettez l'huile, l'oignon, le vin rouge, le romarin, l'ail et la moutarde dans un bol, mixez pour obtenir un mélange uniforme. Mettez l'agneau dans une boîte en plastique, ajoutez la marinade et fermez hermétiquement. Placez au réfrigérateur 2 heures minimum, 24 heures maximum.

Pour préparer la sauce, fouettez ensemble, dans un petit bol, la moutarde, la crème fraîche, la menthe, une pincée de sel et du poivre. Réservez.

Salez et poivrez l'agneau. Chauffez à feu vif 1 cuillerée à soupe d'huile dans une grande poêle, ajoutez l'agneau et saisissez chaque face 3 minutes environ. Placez la viande sur une planche à découper, recouvrez-la et laissez reposer 10 minutes.

Assemblage : Coupez l'agneau en bandes de 3 mm d'épaisseur environ. Pliez-les en accordéon et enfilez-les sur des piques à cocktail. Servez aussitôt avec la sauce.

Que préparer à l'avance? L'agneau peut être cuit la veille et conservé, non découpé, au réfrigérateur. Enfilez les piques 1 heure avant de servir, recouvrez soigneusement d'une feuille d'aluminium ménager et réchauffez au four à 175 °C (thermostat 4) pendant 3 à 5 minutes.

Mille-feuilles des bois

FEUILLETÉS FOURRÉS À LA CRÈME DE CHAMPIGNONS

On devrait toujours avoir sous la main de la pâte feuilletée. Ici, le fondant du beurre et la légèreté de la pâte s'accordent aux saveurs d'humus des champignons (prenez des girolles, des cèpes ou des trompettes-de-la-mort, par exemple). Une vraie promenade sur un tapis de feuilles mortes.

Pour 36 feuilletés :
- 1 carré de pâte feuilletée étalée, de 20 cm de côté
- 1 œuf légèrement battu
- 60 g de beurre
- 500 g de champignons forestiers
- sel et poivre
- 2 oignons hachés
- 60 ml de vin blanc sec
- 60 ml de crème fraîche
- 2 cuillerées à soupe de parmesan râpé
- 2 brins de thym frais

Préchauffez le four à 200 °C (thermostat 6).

Étalez la pâte feuilletée sur une surface légèrement farinée. Découpez 36 petits carrés de 2,5 cm de côté et alignez-les sur une plaque garnie de papier de cuisson. Badigeonnez-les d'œuf battu puis enfournez de 10 à 12 minutes pour obtenir une pâte dorée. Laissez refroidir et baissez la température du four à 175 °C (thermostat 4).

Chauffez à feu moyen 45 g de beurre dans une grande poêle, ajoutez les champignons, salez et poivrez. Faites dorer les champignons de 7 à 10 minutes puis transvasez-les dans un petit bol.

Nettoyez la poêle, mettez une noix de beurre et les oignons, salez et poivrez. Faites revenir 5 minutes. Quand les oignons sont tendres, ajoutez le vin et laissez chauffer jusqu'à absorption complète du liquide (de 3 à 5 minutes).

Mettez les champignons, les oignons, la crème fraîche, le parmesan et le thym dans le bol du mixeur. Donnez 3 ou 4 impulsions pour mélanger, en arrêtant avant d'obtenir une préparation lisse.

Assemblage : Coupez chaque carré de feuilleté en deux dans le sens de la diagonale. Déposez 1 petite cuillerée de crème de champignons sur une moitié et recouvrez avec l'autre moitié. Enfournez 5 minutes environ et servez chaud.

Que préparer à l'avance ? Deux jours avant de recevoir, vous pouvez cuire les feuilletés (ils se conservent à température ambiante, soigneusement enveloppés dans un film plastique) et préparer la crème de champignon (vous la mettrez au réfrigérateur). Assemblez vos petits fours 3 heures avant de les servir et réchauffez-les, en suivant les indications, au dernier moment.

Désolé, Charlie

TARTARES DE THON AUX ÉPICES

Même les plus farouches opposants aux sushis japonais sont conquis par ces bouchées aux saveurs toniques. Demandez à votre poissonnier du thon de toute première fraîcheur pour composer ces tartares de sashimis.

Pour 48 tartares :

1 cuillerée à soupe d'huile
12 carrés de pâte de raviolis chinois (wonton) de 8 cm environ de côté, coupés en quatre
300 g de thon très froid (température du réfrigérateur), coupés en dés de 4 mm
3 cuillerées à soupe de ciboulette hachée
40 g de pignons de pin grillés
2 petites cuillerées à soupe de sauce de soja
1 cuillerée à soupe d'huile de sésame
1 grosse cuillerée à café de piment doux moulu
1 cuillerée à café de gingembre frais râpé

Préchauffez le four à 175 °C (thermostat 4).

Badigeonnez d'huile une plaque de cuisson et disposez les carrés de wonton. Faites dorer au four 8 à 10 minutes puis laissez refroidir.

Mélangez soigneusement dans un saladier les dés de thon, la ciboulette, les pignons de pin, la sauce de soja, l'huile de sésame, le piment et le gingembre en poudre. Ce mélange doit être fait au dernier moment; il ne peut pas attendre.

ASSEMBLAGE : Posez 1 grosse cuillerée de mélange de thon sur chaque carré de wonton. Servez aussitôt. Il est indispensable que le thon soit très froid.

QUE PRÉPARER À L'AVANCE? Trois jours avant, vous pouvez faire dorer les carrés de wonton, puis les conserver dans une boîte hermétique, et découper le thon en dés, que vous replacez au réfrigérateur.

Berlingots d'aubergine

BEIGNETS D'AUBERGINE, SAUCE AUX PRUNES ET AU SÉSAME

La cuisson de l'aubergine au-dessus d'une flamme donne un goût unique à ces beignets. Essayez une fois, vous y reviendrez souvent.

Pour 50 beignets :

Sauce d'accompagnement :

1 pot de 225 g de sauce aux prunes (voir note page suivante)
1 cuillerée à café de jus de citron vert
1/2 cuillerée à café d'huile de sésame

Beignets :

1 aubergine de 450 g environ
2 cuillerées à café d'huile d'olive
2 petits oignons hachés finement
sel et poivre
225 g de saucisses de porc
1/2 cuillerée à café de cumin moulu
1/2 cuillerée à café de coriandre moulue
1 pincée de gingembre moulu
50 carrés de pâte de ravioli chinois (wonton), en carrés de 6,5 cm de côté
1 blanc d'œuf légèrement battu
huile

Préparez la sauce en mélangeant la sauce aux prunes, le jus de citron vert et l'huile de sésame. Mettez au réfrigérateur.

Piquez cinq fois l'aubergine avec une pointe et retirez toutes les feuilles autour de la queue. Faites-la cuire une douzaine de minutes directement au-dessus d'une flamme, en la faisant tourner, jusqu'à ce que sa chair soit tendre et sa peau noire et croustillante. Posez-la en attente dans une assiette.

Faites revenir à l'huile d'olive les oignons salés et poivrés 5 minutes environ dans une poêle à feu moyen. Réservez quand ils sont moelleux.

Remettez la poêle sur le feu, dont vous augmentez la puissance pour cuire la saucisse 6 minutes environ. Déposez la saucisse cuite sur une feuille de papier absorbant.

Épluchez l'aubergine et retirez ses graines. Pressez doucement pour l'égoutter et découpez-la en morceaux. Mettez-la avec les oignons, la saucisse, le cumin, la coriandre, le gingembre et du sel dans un bol. Mixez et placez la préparation au réfrigérateur.

Disposez trois wonton sur un plan de travail. Badigeonnez les bords avec du blanc d'œuf et déposez 1 cuillerée de préparation à l'aubergine sur chaque carré. Prenez deux coins opposés en diagonale et repliez-les vers le centre, faites de même avec les deux autres coins et pincez pour fermer le beignet. Pincez les bords pour boucher les fentes. Renouvelez l'opération jusqu'à épuisement des ingrédients. Disposez les beignets sur une plaque recouverte de papier sulfurisé.

Versez de l'huile dans une grande casserole sur une hauteur de 8 cm environ. Faites-la chauffer à 175 °C. Mettez les beignets à frire par petites quantités, 2 minutes environ, puis déposez-les sur du papier absorbant. Servez-les chauds, accompagnés de la sauce aux prunes et au sésame.

QUE PRÉPARER À L'AVANCE ? La sauce peut être faite 3 jours avant et la préparation à l'aubergine l'avant-veille. Vous pouvez garnir les beignets 2 semaines avant votre réception, les congeler et les frire encore congelés. Enfin, vous pouvez faire la friture 3 heures avant de servir et réchauffer les beignets au dernier moment dans un four à 200 °C (thermostat 6).

NOTE : Il existe de grands écarts de goût entre les sauces aux prunes que l'on trouve dans le commerce (épiceries orientales); elles sont plus ou moins épicées et plus ou moins sirupeuses. Goûtez toujours avant de vous en servir et ajustez les proportions de jus de citron vert et d'huile de sésame pour trouver le juste équilibre entre aigre-doux, sucré et épicé. Si votre sauce aux prunes est trop douce, ajoutez du gingembre frais râpé ou de la sauce de soja.

Œuffories

ŒUFS MIMOSA AUX GRAINS DE CAVIAR

Donnez un air de fête à vos œufs mimosa ! L'arôme salé du caviar et la consistance moelleuse de la crème sont une délicieuse antidote aux alcools les plus violents.

Pour 12 pièces :
6 petits œufs sortis du réfrigérateur
sel
60 ml de crème fraîche
3 cuillerées à soupe d'oignon haché
2 cuillerées à café de jus de citron
1/2 cuillerée à café de zeste de citron râpé
1 cuillerée à soupe de caviar
24 brins de ciboulette de 2 cm de long

Mettez les œufs dans une casserole de taille moyenne, versez de l'eau en les recouvrant de 4 cm. Ajoutez 2 cuillerées à café de sel (la coquille des œufs s'épluchera plus facilement). Portez à ébullition à feu vif. Retirez du feu, couvrez et laissez reposer 12 minutes. Enlevez l'eau chaude, faites couler de l'eau froide sur les œufs pendant 3 à 4 minutes. Videz l'eau restante et agitez la casserole pour que les œufs s'entrechoquent et les coquilles se brisent. Épluchez les œufs sous un filet d'eau froide, en enlevant bien tous les éclats de coquille. Découpez une tranche fine au sommet et à la base de chaque œuf sans entailler le jaune. Coupez les œufs en deux dans la largeur et non dans le sens de la longueur. Retirez les jaunes et placez-les dans un bol. Disposez les blancs sur un plateau, la partie plate à la base.

Mélangez à la fourchette dans un bol les jaunes, la crème fraîche, l'oignon, le jus de citron et une pincée de sel pour obtenir un mélange lisse et crémeux.

Assemblage : Mettez le mélange d'œuf dans une poche en plastique dont vous coupez légèrement un des coins; pressez une petite quantité dans chaque demi-blanc. Couronnez de quelques grains de caviar et de deux brins de ciboulette disposés en croix. Servez aussitôt.

Que préparer à l'avance? Les œufs peuvent être cuits et remplis la veille puis conservés au réfrigérateur. Sortez-les et faites-les reposer à température ambiante 2 heures avant de les servir. Mettez le caviar et la ciboulette au dernier moment.

Pop-Popeye

BOULETTES D'ÉPINARD AU GOUDA FUMÉ

Le légume préféré de Popeye est ici relevé des saveurs corsées du gouda fumé et du parmesan. Demandez à votre fromager des fromages de premier choix et forts en goût, n'hésitez pas à goûter avant d'acheter.

Pour 36 boulettes :
2 cuillerées à café d'huile d'olive
2 oignons hachés
sel et poivre
300 g d'épinards hachés décongelés
160 g de chapelure
70 g de gouda fumé râpé
70 g de parmesan râpé
1 gros œuf
50 g de beurre fondu
1 pincée de noix de muscade

Préchauffez le four à 175 °C (thermostat 4).

Chauffez l'huile dans une grande poêle à feu moyen et faites revenir l'oignon salé et poivré de 5 à 7 minutes. Quand il est tendre, retirez du feu.

Pressez les épinards à la main pour retirer tout le jus, mettez-les dans le bol du mixeur, ajoutez l'oignon, 70 g de chapelure, le gouda, le parmesan, l'œuf, le beurre et la noix de muscade; mélangez pour obtenir une purée lisse.

Formez des boulettes de 2,5 cm de diamètre, roulez-les dans le reste de chapelure pour les enrober complètement. Alignez-les sur une plaque recouverte de papier sulfurisé, enfournez 10 minutes environ et retirez dès que les boulettes sont chaudes et légèrement dorées. Ne les laissez pas trop longtemps au four car elles risquent de se dessécher.

QUE PRÉPARER À L'AVANCE? Les boulettes peuvent être préparées la veille et conservées au réfrigérateur, ou congelées 1 semaine avant. Dans ce cas, laissez-les décongeler avant de les cuire au four en suivant les instructions.

Larmes de bonheur

PETITS PAINS NAPPÉS À L'OIGNON, À L'EMMENTAL ET À LA CIBOULETTE

Choisissez pour cette recette un pain de mie moelleux et fondant ou une brioche non sucrée.

Pour 24 petits pains :
125 g de beurre
1 oignon haché
115 g de fromage blanc
50 g d'emmental râpé
3 cuillerées à soupe d'oignon semoule
3 cuillerées à soupe de ciboulette hachée
2 gros blancs d'œufs
340 g de pain de mie coupé en cubes de 2 cm de côté
sel et poivre

Préchauffez le four à 175 °C (thermostat 4).

Faites fondre une noix de beurre à feu moyen, ajoutez l'oignon, le sel et le poivre. Retirez du feu au bout de 4 minutes environ, quand l'oignon est tendre.

Faites chauffer au bain-marie, en remuant continuellement, le fromage blanc, l'emmental et les cuillerées d'oignon semoule. Une fois que la pâte est homogène, ajoutez les oignons, le reste de beurre fondu et la ciboulette. Mélangez soigneusement.

Battez les blancs en neige très ferme, puis incorporez-les progressivement à la préparation au fromage. Plongez les morceaux de pain un à un dans la préparation et disposez-les sur la plaque du four recouverte d'une feuille de papier sulfurisé. Enfournez une quinzaine de minutes et sortez les petits pains quand ils sont dorés. Servez chaud.

QUE PRÉPARER À L'AVANCE ? Congelez les petits pains alignés sur la plaque, puis placez-les dans une boîte ou un sac en plastique. Enfournez et faites dorer au moment de servir, sans décongélation préalable.

Drakkars

CRÈME DE SAUMON FUMÉ SUR DES BARQUETTES DE CONCOMBRE

Astucieuses, savoureuses et élégantes, ces rondelles de concombre seront idéales pour servir la crème de saumon fumé (ou, selon votre goût, de truite fumée). Avant de le découper en lamelles, pensez à faire, avec un épluche-légumes, des stries décoratives le long du concombre.

Pour 48 barquettes :
125 g de saumon fumé
85 ml de fromage blanc à température ambiante
2 cuillerées à soupe de crème fraîche
2 cuillerées à soupe d'oignon rouge haché
2 cuillerées à soupe de jus de citron
2 cuillerées à soupe d'aneth haché
1 cuillerée à café de zeste de citron
2 petites cuillerées à café de raifort
sel et poivre
1 concombre de 30 cm environ, en 48 tranches de 5 mm d'épaisseur
48 petits brins d'aneth pour la garniture

Mixez le saumon fumé, le fromage blanc, la crème fraîche, l'oignon, le jus de citron, l'aneth, le zeste de citron, le raifort et le sel. Goûtez et ajoutez le poivre. Mettez la préparation au réfrigérateur.

ASSEMBLAGE : Déposez 1 cuillerée à café de préparation sur chaque tranche de concombre et décorez d'un brin d'aneth.

QUE PRÉPARER À L'AVANCE? La préparation de saumon fumé se conserve 2 jours au réfrigérateur. Vous pouvez assembler les « drakkars » une heure avant de les servir et les placer dans un endroit bien frais.

Steaks thaïs

BROCHETTES THAÏES AU CITRON VERT ET À LA MENTHE

Une salade de bœuf froide, le yam nuea, dégustée il y a plusieurs années à Bangkok nous a laissé un souvenir inoubliable. Nous avons cherché à en retrouver les saveurs uniques, pour les offrir sur nos buffets. N'oubliez pas de prévoir une coupelle pour les piques usagées.

Pour 36 brochettes :
1 tranche de bœuf à griller (450 g, soit environ 2,5 cm d'épaisseur et 20 cm de long)
huile, sel et poivre
36 feuilles de menthe fraîche
36 piques en bois (voir note page suivante)

Sauce d'accompagnement :
80 ml de jus de citron vert
1 petit oignon rouge finement haché
2 cuillerées à café d'ail écrasé
1 cuillerée à soupe de sucre
1 cuillerée à soupe de nuoc-mâm (voir note page suivante)
1 cuillerée à soupe de piment doux
3 cuillerées à soupe d'huile

Préchauffez le gril.

Préparez la sauce en mélangeant dans un petit bol le jus de citron vert, l'oignon rouge, l'ail, le sucre, le nuoc-mâm et le piment. Ajoutez l'huile doucement, en remuant avec un fouet. Placez ensuite au réfrigérateur.

Badigeonnez d'huile les deux faces de la pièce de bœuf, salez et poivrez. Grillez environ 4 minutes sur chaque face pour une cuisson encore saignante, puis laissez reposer une quinzaine de minutes.

Découpez la viande en lamelles de 3 mm d'épaisseur environ et de 7 à 10 cm de long. Déposez sur chacune une feuille de menthe, roulez-les puis piquez-les sur une brochette. Servez avec la sauce d'accompagnement froide.

QUE PRÉPARER À L'AVANCE ? La veille, vous pouvez préparer la sauce d'accompagnement et griller la pièce de bœuf, que vous conserverez, non découpée, au réfrigérateur. Vous pouvez assembler les brochettes le matin pour le soir, les mettre au frais et les ressortir à température ambiante 30 minutes avant de les servir.

NOTE : Le nuoc-mâm, qui donne sa saveur si particulière à ces brochettes, est un condiment à base de poisson qui se trouve dans les épiceries asiatiques.

Laissez tremper les piques en bois dans l'eau, pendant au moins un quart d'heure, pour éviter qu'elles ne cassent.

La poule aux yeux d'or

COUPELLES DE POULET ASSAISONNÉ
AU CHUTNEY ET AU CURRY

Prenez le temps de trouver de la pâte de curry dans une épicerie orientale : cet ingrédient apporte un feu d'artifice de saveurs qui enchanteront les palais.

Pour 48 coupelles :
12 morceaux de pâte pour raviolis chinois (wonton), découpés en carrés
huile
1,5 l d'eau
1 cuillerée à café de sel
450 g de blancs de poulet
60 ml de chutney (voir note page 20)
90 ml de yaourt nature
3 cuillerées à soupe de beurre de cacahuètes avec des morceaux *(crunchy peanut butter)*
1 cuillerée à soupe de jus de citron vert pressé
1,5 cuillerée à café de pâte de curry
1 bouquet de ciboulette

Préchauffez le four à 160 °C (thermostat 3).

Badigeonnez une face des wonton avec un peu d'huile, puis placez-les dans des petits moules à tartelette (face huilée dessus). Enfournez et faites cuire de 5 à 7 minutes. Quand ils sont dorés, sortez-les et démoulez-les puis laissez refroidir. Disposez-les sur une plaque de cuisson et recouvrez d'un film plastique.

Faites chauffer l'eau additionnée de sel. Plongez les morceaux de poulet avant ébullition et faites-les pocher une douzaine de minutes dans l'eau frémissante. Quand ils sont cuits, posez-les sur une assiette et tamponnez-les avec du papier absorbant pour les essuyer. Laissez refroidir, découpez la viande en petits morceaux, ajoutez une pincée de sel. Mélangez dans un bol le chutney, le yaourt, le beurre de cacahuètes, le jus de citron vert et la pâte de curry. Ajoutez les miettes de poulet. Placez au réfrigérateur.

Assemblage : Déposez 1 cuillerée de préparation à base de poulet dans chaque tartelette et décorez d'un brin de ciboulette.

Que préparer à l'avance? Les tartelettes de wonton peuvent être cuites 3 jours avant et conservées dans une boîte hermétique. La préparation au poulet peut se faire la veille (sortez-la du réfrigérateur 1/2 heure avant de l'utiliser). Les tartelettes peuvent être garnies 1 heure avant d'être servies.

La cerise sur le canard

AIGUILLETTES DE CANARD FUMÉ AUX CERISES

Voici un mets qui comblera les palais les plus exigeants. Si vous n'avez plus de place dans votre four, vous pouvez aussi servir ces brochettes, roulées autour d'une feuille de roquette, à température ambiante.

Pour 48 brochettes :
25 cl de vin rouge
25 cl de gelée de groseilles
poivre
2 feuilles de laurier
2 bâtons de cannelle
48 grosses cerises dénoyautées en bocal
48 fines aiguillettes de canard fumé
48 piques à cocktail en bois

Préchauffez le four à 175 °C (thermostat 4).

Versez le vin rouge, la gelée de groseilles, une pincée de poivre, les feuilles de laurier et les bâtons de cannelle dans une casserole. Portez à ébullition à feu moyen ; réduisez la puissance, ajoutez les cerises et laissez frémir de 15 à 20 minutes pour obtenir un sirop épais. Retirez du feu, enlevez et jetez les bâtons de cannelle et les feuilles de laurier, réservez les cerises.

Disposez les aiguillettes de canard fumé sur un plan de travail, badigeonnez-les légèrement avec le glaçage, posez une cerise sur chacune des lamelles, roulez et fixez avec une pique à cocktail. Renouvelez l'opération pour les 48 aiguillettes, puis alignez-les sur une plaque de cuisson et enfournez 5 minutes environ. (Si votre four est déjà encombré, vous pouvez aussi glisser une feuille de roquette en même temps que la cerise et servir à température ambiante.)

QUE PRÉPARER À L'AVANCE ? Le sirop de glaçage peut être cuit 1 semaine à l'avance et conservé au réfrigérateur. Pour qu'il retrouve une consistance liquide, il suffit de le réchauffer et de retirer les cerises. Vous pouvez piquer les brochettes 48 heures avant de les servir, en les réchauffant selon la recette.

Entre-deux

Des saveurs tempérées à servir autour
de cocktails changeants et de vins fins.

ÉPICES VARIÉES, LÉGUMES HORS DU COMMUN, FROMAGES DE TEMPÉRAMENT ET FINES HERBES PARFUMÉES sont les vedettes incontournables de ces amuse-gueule qui enchanteront vos papilles et feront briller tous vos cocktails.

Un peu de curiosité, beaucoup de gourmandise, il n'en faut pas plus pour décrocher son téléphone et organiser une dégustation de bières, une soirée taste-vin ou un apéro des îles.

Dégustation de bières

Toutes sortes de saveurs, moutardes relevées ou tortillas mexicaines épicées, peuvent s'accorder à une « mousse » bien fraîche, qu'elle soit blonde ou brune, blanche ou ambrée. Partez à la découverte des innombrables bières régionales et étrangères qu'on trouve dans le commerce : quand vous inviterez vos douze meilleurs copains, demandez à chacun d'apporter quelques bouteilles de son choix. S'il en reste, vous aurez toujours l'occasion de les boire!

Posez sur une table un grand saladier rempli de glace où chacun déposera les bouteilles qu'il aura dénichées. Louez ou empruntez des chopes que vous mettrez à refroidir dans la glace.

Préparez une double ration de pastrami roulés (*À la baguette*, page 72) et une double ration de *Rosettes de peperoni* (page 87) qui combleront les appétits aiguisés pendant deux heures. Si vous comptez jouer les prolongations, complétez votre menu avec des *Pizz'* (page 58) et une corbeille de *Bâtons rouges* (page 65). Vous pourrez toujours ajouter, et c'est une bonne idée, des noix, des noisettes ou des cacahuètes et quelques chips ou des bretzels.

Soirée taste-vin

Peut-être préférez-vous le vin à la bière et votre cave abrite-t-elle quelques bonnes bouteilles? Vous aimez les déboucher à l'improviste, alors pourquoi ne pas organiser une soirée taste-vin? Ce sera l'occasion d'étoffer vos connaissances en œnologie. Assurez-vous que vous avez dans vos placards une douzaine de verres à vin, sinon complétez votre collection, et invitez vos collègues de travail à déguster quelques grands crus un vendredi soir.

En cette veille de week-end, comptez qu'ils vont passer la soirée chez vous : trois ou quatre heures pour décompresser et bavarder de choses et d'autres, sauf du travail! Demandez à chacun d'apporter une bouteille. Si vous formez un petit groupe de connaisseurs, concentrez-vous sur une région vinicole; à l'inverse, si votre public est moins expert, offrez un éventail très ouvert de vins variés à découvrir. Là encore, laissez vos amis choisir et recevez à la fortune du pot. Placez toujours à portée de main des carafes d'eau fraîche.

Posez sur la table des amuse-gueule qui se préparent vite; demandez éventuellement à vos amis de vous aider à les préparer: rien n'est plus convivial qu'une cuisine où l'on s'affaire! Pour quatre personnes, préparez une fournée de

Biscottines de poivron (page 74). Si vous êtes six, complétez avec une ration de *Figues en chemise* (page 57). Pour huit, vous ferez aussi des pitas beurrées d'hoummos (*Chiche !* page 85). Enfin, rien ne vaut un plateau de fromages et une corbeille de petits pains pour satisfaire les appétits les plus voraces.

Apéro des îles

Des verres chatoyants de boissons glacées aux parfums exotiques, des rondelles de citron vert, des petits parasols multicolores piqués dans des oranges : le ton de la fête est donné. C'est la magie des cocktails tropicaux : une gorgée suffit à vous transporter à l'autre bout du monde. Il fait chaud, c'est l'été, proposez à vos trois ou quatre voisins de venir boire un verre sous les ombrages et offrez-leur des cocktails de rhum ou de tequila.

Achetez des verres en plastique de couleur jetables, si vous avez la chance d'en trouver; mais si vous aimez les vraies ambiances de fête, vous pouvez aussi utiliser en guise de verres des ananas évidés. Bien sûr, vous n'oublierez pas les pailles. Assurez-vous d'avoir toutes les bouteilles nécessaires à vos cocktails. Prenez un petit pot pour mesurer les ingrédients et préparez votre shaker et de la glace en quantité. Enfin, décorez votre bar avec une nappe de couleur et une corbeille de fruits exotiques.

Si vous prévoyez que votre réunion durera deux heures, préparez une ration de *Uno mas quesadillas* (page 63) et une de *Crevettes tex-mex* (page 60), la salsa des quesadillas et les accents pimentés des crevettes s'accordant parfaitement à ces boissons tropicales glacées.

Figues en chemise

FIGUES FRAÎCHES AU GORGONZOLA ET AU JAMBON DE PARME

Une subtile combinaison de saveurs, qui fera mouche si vos figues sont à point : bien mûres sans être molles. Choisissez à la fois des figues vertes et violettes pour jouer sur les couleurs.

Pour 24 pièces :
150 g de gorgonzola en morceaux
6 figues, découpées en quartier
2 cuillerées à soupe de vinaigre balsamique
2 cuillerées à soupe d'huile de noix
sel et poivre
225 g de jambon de Parme, en lamelles de 4 cm x 14 cm

Déposez environ 1/2 cuillerée à café de gorgonzola sur chaque quartier de figue en l'enfonçant doucement vers le bas. Alignez les quartiers de figue sur une planche garnie de papier sulfurisé.

Fouettez dans un bol l'huile, le vinaigre, le sel et le poivre.

ASSEMBLAGE : Badigeonnez de vinaigrette chaque quartier de figue et enveloppez-le d'une lamelle de jambon de Parme.

QUE PRÉPARER À L'AVANCE? Vous pouvez garnir les figues 1 heure avant de les servir. Conservez-les à température ambiante enveloppées dans un film plastique.

Pizz'

MINI-PIZZAS AU CAMBOZOLA SUR UN LIT D'AIL GRILLÉ

Vous pouvez bien sûr utiliser de la pâte à pizza, mais essayez avec des muffins anglais ou des petits pains ronds coupés en deux : vos pizz'seront moelleuses.

Pour 48 pièces :
1 grosse boîte de tomates entières bien égouttées
2 cuillerées à café de vinaigre balsamique
poivre
4 grosses têtes d'ail
2 cuillerées à soupe d'huile d'olive
6 muffins ou petits pains ronds
225 g de cambozola à température ambiante (voir note page suivante)
basilic frais

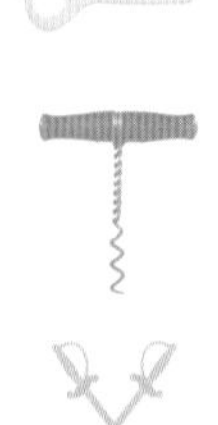

Préchauffez le four à 175 °C (thermostat 4).

Mettez les tomates égouttées dans un bol, ajoutez le vinaigre balsamique et poivrez. Laissez mariner.

Coupez horizontalement le haut de chaque tête d'ail, à environ 2 cm de la pointe. Placez les têtes d'ail sur une feuille d'aluminium et badigeonnez d'huile d'olive. Pliez la feuille d'aluminium et refermez-la. Enfournez-la de 50 à 60 minutes jusqu'à ce que l'ail soit tendre et légèrement doré ; laissez refroidir.

Dégagez les gousses d'ail en pressant la base de chaque tête ; mettez-les dans un bol et écrasez-les avec le dos d'une cuiller.

GARNITURE ET CUISSON : Augmentez la température du four (190 °C, thermostat 5). Étalez 1/2 cuillerée à café d'ail sur chaque demi-muffin, recouvrez de 1 cuillerée à soupe de cambozola et de 1 cuillerée de chair de tomate égouttée, répartissez également. Disposez les demi-muffins sur une plaque de cuisson et glissez-la en bas du four ; retirez au bout de 10 à 12 minutes quand les pizzas sont dorées et que le fromage a fondu. Saupoudrez les pizzas de basilic et coupez-les en quatre. Servez aussitôt.

QUE PRÉPARER À L'AVANCE? Grillez et écrasez l'ail 1 semaine avant, et conservez-le au réfrigérateur. Les pizzas peuvent être garnies 3 heures avant d'être servies ; couvrez-les et laissez-les reposer à température ambiante jusqu'au moment de la cuisson.

NOTE : À défaut de cambozola (un fromage à pâte molle persillée), prenez du bleu de Bresse.

Crevettes tex-mex

TORTILLAS DE CREVETTES AU CHILI

Ces crevettes servies froides dans un nappage de fromage blanc se parent d'accents latino-américains. Les petites crevettes grises sont largement aussi savoureuses que les bouquets, et il est inutile de les décortiquer, ce qui n'est pas la moindre de leurs qualités !

Pour 48 tortillas :
2 cuillerées à soupe d'huile
350 g de petites crevettes grises
sel et poivre
12,5 cl de fromage blanc à température ambiante
2 cuillerées à soupe de coriandre moulue
2 cuillerées à soupe de jus de citron vert
1 cuillerée à café de poudre de chili
1/2 cuillerée à café d'ail moulu
1/2 cuillerée à café d'origan
1 pincée d'oignon semoule
90 g de maïs en grains
1/2 poivron rouge haché
3 tortillas de blé de 20 cm de diamètre
48 feuilles de coriandre pour la garniture

Salez et poivrez les crevettes pendant que vous faites chauffer 1 cuillerée à soupe d'huile dans une poêle à feu vif. Faites sauter les crevettes de 2 à 3 minutes en remuant de temps en temps jusqu'à ce qu'elles soient roses. Égouttez et laissez refroidir, puis découpez en morceaux grossiers.

Mélangez le fromage blanc, la coriandre moulue, le jus de citron vert, la poudre de chili, l'ail, l'origan et l'oignon semoule ; quand le mélange est homogène, ajoutez les grains de maïs, le poivron rouge et les crevettes. Mettez la préparation au réfrigérateur.

Préchauffez le four à 175 °C (thermostat 4).

Alignez les tortillas et repliez les bords pour former des carrés de 15 cm. Badigeonnez chaque face d'huile puis découpez les tortillas en 16 petits carrés.

Placez chaque carré dans un petit moule à tartelette (2,5 cm environ), salez et faites dorer au four une dizaine de minutes. Laissez refroidir.

ASSEMBLAGE : Remplissez chaque tortilla du mélange à base de crevettes, décorez d'une feuille de coriandre et servez.

QUE PRÉPARER À L'AVANCE ? Le mélange de crevettes peut être réalisé la veille et les tartelettes cuites 5 jours avant et conservées dans une boîte hermétique.

Uno mas quesadillas

SANDWICHS DE CHEDDAR ET LEUR GARNITURE DE HARICOTS ROUGES

Impossible de résister : bouchée après bouchée, on ne se lasse pas de ce cocktail exotique de saveurs tex-mex. Ces quesadillas disparaissent toujours aussi vite que nous les servons. Si vous manquez de temps, achetez une salsa toute faite et profitez-en pour vous procurer de quoi composer vos cocktails (margaritas).

Pour 32 quesadillas :

Salsa :

2 tomates vidées et coupées en petits dés
80 g de haricot rouges cuisinés et égouttés
60 ml de sauce piquante mexicaine
1 cuillerée à soupe de persil haché
1 cuillerée à soupe d'oignon rouge haché
2 cuillerées à café de jus de citron vert
1 cuillerée à café d'origan
1/2 cuillerée à café d'ail frais écrasé

Sandwichs :

8 tortillas mexicaines
120 g de cheddar râpé
1 petit oignon doux haché
poivre
3 cuillerées à soupe d'huile

PRÉPARATION DE LA SALSA. Salez les tomates et égouttez-les. Mélangez dans un petit bol les haricots rouges, la sauce piquante, le persil, l'oignon rouge, le jus de citron vert, l'origan et l'ail. Ajoutez les tomates et mixez soigneusement le tout. Placez au réfrigérateur.

Faites dans les tortillas des galettes de 10 cm de diamètre, en vous servant d'une soucoupe et de ciseaux. Alignez quatre galettes sur une plaque de cuisson, répartissez dessus le fromage et l'oignon, poivrez et recouvrez avec les quatre autres galettes-tortillas. Pressez doucement.

Dans une grande poêle, faites chauffer l'huile à feu moyen. Faites dorer les quesadillas environ 2 minutes de chaque côté. Transférez sur une assiette recouverte de papier absorbant. Coupez chaque quesadilla en huit et garnissez de 1 cuillerée à café de salsa. Servez aussitôt.

QUE PRÉPARER À L'AVANCE ? La salsa peut être faite l'avant-veille et les quesadillas 8 heures avant d'être servies. Vous les réchaufferez 10 minutes dans un four à 200 °C (thermostat 6).

Bâtons rouges

FRITES DE PATATE DOUCE ET SAUCE AU GINGEMBRE ET SOJA

Les frites de notre enfance revisitées : un bouquet de saveurs venues d'Extrême-Orient enveloppe la chair sucrée de la patate douce.

Pour 48 frites :

Sauce d'accompagnement :

80 ml de vinaigre de riz
60 ml de sauce de soja
1 cuillerée à soupe d'huile de sésame
1 cuillerée à café d'ail en poudre
1 cuillerée à café de gingembre moulu
1 pincée de piment doux moulu

Frites :

750 g de patates douces épluchées et coupées en frites de 7 cm de long et 1 cm d'épaisseur
2 cuillerées à soupe d'huile
1 pincée de poudre de cinq-épices (épiceries chinoises)
sel

Préchauffez le four à 200 °C (thermostat 6).

PRÉPARATION DE LA SAUCE D'ACCOMPAGNEMENT. Fouettez ensemble le vinaigre de riz, la sauce au soja, l'huile de sésame, l'ail, le gingembre et le piment doux. Réservez.

Mettez dans un saladier les frites de patate douce, l'huile, la poudre de cinq-épices et le sel. Mélangez doucement. Étalez les frites sur une plaque de cuisson garnie d'aluminium et enfournez de 15 à 20 minutes. Servez aussitôt avec la sauce.

QUE PRÉPARER À L'AVANCE? La sauce peut être faite 3 jours avant d'être servie et conservée au réfrigérateur. Les frites peuvent être cuites le matin pour le soir et réchauffées 3 minutes dans un four à 200 °C (thermostat 6).

L'ananas et le cabillaud

BROCHETTES DE CABILLAUD ET D'ANANAS SERVIES AVEC UNE PÂTE DE CURRY

Gardez la porte du four ouverte pendant que vous grillez les brochettes et surveillez la cuisson en les tournant souvent. S'il vous reste du pesto, conservez-le dans une boîte hermétique au réfrigérateur, il donnera un parfum de fête à votre prochain plat de pâtes ou de riz.

Pour 36 brochettes :
Pesto :
125 g de noix de macadamia (voir note)
1 bouquet de coriandre fraîche
1 bouquet de menthe fraîche
3 cuillerées à soupe d'huile d'olive
2 cuillerées à soupe de noix de coco en poudre
2 cuillerées à café de jus de citron vert
1 cuillerée à café de nuoc-mâm (voir note page 49)
1 petite cuillerée à café de pâte de curry
1 pincée d'ail frais écrasé

Brochettes :
750 g de filet épais de cabillaud en cubes de 2 cm
2 cuillerées à soupe d'huile
sel et poivre
1/2 ananas frais en cubes de 2 cm
36 piques en bois de 12,5 cm (voir note)

Préchauffez le gril à température moyenne.

Préparation du pesto. Mixez au robot les noix de macadamia, la coriandre, la menthe, l'huile d'olive, la noix de coco, le jus de citron vert, le nuoc-mâm, la pâte de curry et l'ail. Les noix doivent être broyées et la mixture homogène.

Roulez les morceaux de cabillaud dans l'huile salée et poivrée. Faites de même avec les morceaux d'ananas. Enfilez alternativement des cubes d'ananas et de poisson sur les brochettes jusqu'à épuisement des ingrédients. Disposez les brochettes sous le gril et faites cuire le poisson à cœur, de 6 à 8 minutes de chaque côté. Tournez fréquemment. Déposez 1 cuillerée à café de pesto sur chaque brochette et servez aussitôt.

Que préparer à l'avance ? Le pesto peut être fait 48 heures avant et conservé au réfrigérateur. Les brochettes peuvent être cuites la veille et gardées au frais ; enveloppez-les d'aluminium en roulant bien les bords avant de les réchauffer dans un four à 150 °C (thermostat 2/3) pendant 5 à 7 minutes. Ajoutez le pesto.

Note : Plongez les piques en bois 1/4 heure dans l'eau pour éviter qu'elles n'éclatent et ne brûlent lors de la cuisson.

À défaut de noix de macadamia, originaires d'Australie, vous pouvez utiliser des pignons de pin.

Rouleaux de saveurs

PORC AU BASILIC ET À LA MENTHE ROULÉ DANS UNE GALETTE DE RIZ

Les galettes de farine de riz, que l'on trouve aisément dans les rayons spécialisés, sont très fines et fragiles : on les plonge dans l'eau avant de les utiliser. S'il faut un peu de patience au début pour les travailler, le résultat vaut largement la peine. Comptez quelques galettes supplémentaires au cas où les premières se déchireraient.

Pour 24 rouleaux :
350 g de filet de porc haché
sel et poivre
120 ml de sauce hoisin (épiceries chinoises)
1 petite boîte de châtaignes d'eau égouttées et grossièrement coupées (en épicerie extrême-orientale)
1 bouquet de ciboulette hachée
24 galettes de riz (prévoyez quelques galettes de secours)
1 cuillerée à soupe de grains de sésame
24 feuilles de basilic
24 feuilles de menthe

Mettez le porc haché dans une grande poêle antiadhésive, salez et poivrez. Faites cuire à feu vif 5 minutes environ en remuant fréquemment. Quand la chair est bien cuite, déposez-la sur une assiette, recouvrez d'une serviette et laissez refroidir.

Versez dans un bol la sauce hoisin, les châtaignes d'eau pilées, la ciboulette et le porc ; mélangez bien. Mettez au réfrigérateur pendant que vous préparez les galettes de riz.

ASSEMBLAGE : Procédez en deux fois. Remplissez d'eau tiède une tourtière ou un grand plat creux. Plongez deux galettes de riz dans l'eau et laissez-les tremper 45 secondes pour qu'elles ramollissent. Retirez-les et empilez-les, en plaçant dessous et entre chaque galette une feuille de papier absorbant. Formez une pile avec les douze premières galettes. Retournez la pile pour travailler les galettes dans l'ordre où elles ont été mouillées. Une fois empilées, on peut les plier au bout de 1 à 2 minutes.

Placez les galettes trois par trois sur un plan de travail. Saupoudrez-les d'une pincée de grains de sésame, déposez vers le bas une feuille de basilic, puis 1 cuillerée à soupe de préparation à la viande et une feuille de menthe. Repliez les deux côtés vers le centre, pressez. Repliez le bas puis roulez fermement mais souplement jusqu'au bord supérieur. Vous obtenez un rouleau d'environ 3,5 cm x 5 cm. Quand les douze premières galettes sont garnies, recouvrez-les d'une serviette mouillée et d'un film plastique. Répétez l'opération avec les douze galettes restantes. Les rouleaux peuvent être conservés à température ambiante pendant 3 jours. Ne les mettez pas au réfrigérateur, ils deviendraient cassants.

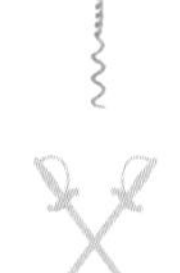

Que préparer à l'avance? La préparation à base de viande peut être faite la veille et conservée au réfrigérateur.

Plantain des planteurs

RONDELLES POÊLÉES DE BANANE PLANTAIN AVEC UNE PÂTE DE CACAHUÈTES

Servez ces rondelles de banane plantain avec une piña colada et laissez vous transporter aux Caraïbes : les bananes plantains, qui se trouvent assez facilement ici, sont là-bas un aliment quotidien.

Pour environ 24 rondelles de plantain :
- 5 cuillerées à soupe de ciboulette hachée
- 2 cuillerées à soupe d'huile de sésame
- 1 cuillerée à soupe de miel
- 2 cuillerées à café de jus de citron vert
- 1 cuillerée à café de gingembre frais râpé
- 150 g de cacahuètes grillées non salées
- 2 cuillerées à soupe d'huile d'arachide
- 3 bananes plantains moyennement mûres (tendres au toucher), épluchées et coupées en tranches de 7 mm d'épaisseur
- sel

Mélangez dans une petite terrine la moitié de la ciboulette, l'huile de sésame, le miel, le jus de citron vert et le gingembre.

Broyez les cacahuètes dans le bol du mixeur électrique, puis ajoutez le contenu de la terrine et donnez juste une ou deux impulsions au mixeur. Ne malaxez pas la pâte trop longtemps. Transvasez dans un saladier et couvrez-le. Conservez la pâte hors du réfrigérateur et servez-la dans les 3 heures.

Dans une poêle, faites chauffer l'huile d'arachide à feu moyen. Salez les deux faces des rondelles de plantain et faites dorer 2 minutes de chaque côté. Déposez-les sur une plaque recouverte de papier absorbant.

ASSEMBLAGE : Déposez 1 cuillerée de pâte de cacahuètes sur chaque rondelle de plantain, garnissez de ciboulette et servez aussitôt.

QUE PRÉPARER À L'AVANCE ? Les bananes plantains peuvent être poêlées 3 heures avant, mises en attente – hors du réfrigérateur – et réchauffées à 200 °C (thermostat 6).

À la baguette

RUBANS DE PASTRAMI ROULÉS SUR DES GRESSINS
SERVIS AUTOUR D'UNE MAYONNAISE AU CARVI

Deux spécialités italiennes sont ici réunies : les gressins, ces petites baguettes de biscotte proposées dans toutes les corbeilles à pain de la péninsule, et le pastrami, du bœuf maigre fumé, épicé et séché. Vous trouverez les premiers au rayon pains grillés de votre supermarché, le second en charcuterie ou, à défaut, vous pouvez utiliser de la viande des Grisons.

Pour 24 gressins :
Mayonnaise :
120 ml de mayonnaise
65 ml de ketchup
2 cuillerées à soupe de chou mariné haché (choucroute)
1/2 cuillerée à café de graines de carvi

Bâtonnets :
225 g de pastrami, en tranches de 4 cm x 15 cm
24 feuilles de roquette équeutées
8 à 12 gressins fins cassés en bâtonnets de 10 cm

Mélangez au fouet la mayonnaise, le ketchup, le chou haché et les graines de carvi dans un bol. Réservez.

Étalez les lamelles de pastrami sur un plan de travail et recouvrez-les d'une grande feuille de roquette puis enroulez autour de l'extrémité des gressins. Servez avec la mayonnaise.

QUE PRÉPARER À L'AVANCE? La mayonnaise peut être faite 3 jours avant et conservée au réfrigérateur. Vous pouvez rouler les gressins 1 heure avant de les servir, les couvrir d'un film plastique et les mettre au réfrigérateur.

Biscottines de poivron

POÊLÉE DE POIVRON ROUGE, FINES HERBES ET TOASTS GRILLÉS

Coupez en deux vos tranches de baguette si vous voulez que vos amis n'en fassent qu'une bouchée ! Vous pouvez trouver des mélanges tout prêts d'estragon, de persil, de cerfeuil et de ciboulette ; à défaut, optez pour des herbes de Provence.

Pour 48 biscottines environ :
24 tranches (5 mm d'épaisseur) de baguette de pain coupée en deux
mélange estragon, persil, cerfeuil et ciboulette (1 grosse cuillerée à café)
sel et poivre
huile d'olive

Poêlée de poivron :
2 oignons finement hachés
1 poivron rouge égrené et grossièrement haché
2 cuillerées à soupe de basilic frais haché
1 cuillerée à soupe de câpres égouttées
1 cuillerée à soupe de persil frais haché
2 cuillerées à café d'huile d'olive
2 cuillerées à café de vinaigre balsamique
1 pincée d'ail en poudre
sel

Préchauffez le four à 175 °C (thermostat 4).

Disposez les demi-tranches de baguette sur un plan de travail. Mélangez les fines herbes (ou à défaut les herbes de Provence), une pincée de sel et une pincée de poivre dans un petit bol. Ajoutez 3 cuillerées à soupe d'huile d'olive et fouettez bien. Badigeonnez les tranches de pain d'huile aromatisée. Enfournez et faites dorer de 10 à 12 minutes, en vous assurant que toutes les tranches sont bien grillées.

PRÉPARATION DE LA POÊLÉE : Chauffez dans une poêle 1 cuillerée d'huile d'olive à feu moyen. Ajoutez les oignons et les poivrons, salez et poivrez, et faites revenir 5 minutes environ.

Mélangez dans un bol les oignons et le poivron rouge, le basilic, les câpres, le persil, 2 cuillerées à café d'huile d'olive, le vinaigre, l'ail et le sel. Mettez au réfrigérateur.

ASSEMBLAGE : Déposez 1 cuillerée à café de garniture sur chaque toast.

QUE PRÉPARER À L'AVANCE ? Les toasts peuvent être grillés 5 jours avant et conservés dans une boîte hermétique. Le poivron peut être cuisiné la veille. Vous garnirez les toasts 1 heure avant de les servir.

Pains d'omelette

GALETTE D'ŒUFS AU JAMBON ET AUX FINES HERBES

Ces délicieux petits cubes sont plus qu'une simple omelette parfumée : ils rappellent la consistance du pain perdu de nos grands-mères. Omelette ou pain perdu ? Qu'importe ! Ils évoquent la chaleur d'une bonne table campagnarde au coin du feu.

Pour 25 cubes :
1 cuillerée à soupe d'huile
3 oignons finement hachés
sel et poivre
5 gros œufs
175 g de jambon haché
100 g d'emmental râpé
80 ml de crème fraîche
100 g de chapelure
3 cuillerées à soupe de ciboulette fraîche hachée
1 cuillerée à café de romarin haché
1 cuillerée à café de sauge hachée

Préchauffez le four à 160 °C (thermostat 3).

Beurrez et farinez un plat à gratin carré de 20 cm environ.

Faites chauffer l'huile à feu moyen dans une poêle, mettez les oignons, salez et poivrez, et faites revenir pendant 8 à 10 minutes.

Battez les œufs en omelette dans un saladier, ajoutez les oignons, l'emmental, le jambon, la crème, la chapelure, 2 cuillerées à soupe de ciboulette, le romarin, la sauge et du poivre. Fouettez vigoureusement.

Versez la préparation dans le plat à gratin et saupoudrez avec la dernière cuillerée de ciboulette. Enfournez de 35 à 45 minutes ; vérifiez la cuisson au centre (bien ferme). Laissez refroidir, dégagez des bords bien nets puis coupez 25 cubes et alignez-les sur une plaque de cuisson. Recouvrez d'une feuille d'aluminium ménager. Servez chaud en réchauffant 5 minutes au four.

Que préparer à l'avance? L'omelette peut être cuite 2 jours avant et conservée au réfrigérateur. Vous pouvez aussi la congeler 1 semaine, avec une décongélation à température ambiante.

Une pincée de crabe

CRÈME DE CRABE SUR DES CHIPS DE MAÏS

Vous renoncerez définitivement aux frites trempées dans le ketchup quand vous aurez goûté à ce feu d'artifice de saveurs. Les arômes mêlés du crabe, du citron, du cumin et de la coriandre se développent harmonieusement sur des chips de maïs, de surcroît pauvres en calories.

Pour 48 chips :
65 ml de fromage blanc à température ambiante
1 petit oignon doux haché
2 cuillerées à soupe de mayonnaise
2 cuillerées à soupe de jus de citron
1 cuillerée à café de cumin moulu
sel et poivre
170 g de chair de crabe bien égouttée
90 g de maïs en grains
6 tortillas de maïs
2 cuillerées à soupe d'huile
48 feuilles de coriandre

Mélangez dans un saladier le fromage blanc, l'oignon, la mayonnaise, le jus de citron, le cumin, le sel et le poivre. Ajoutez le crabe et le maïs.

Préchauffez le four à 200 °C (thermostat 6).

Empilez les tortillas et coupez les bords pour obtenir des carrés de 12,5 cm. Badigeonnez chaque face d'huile, reformez la pile et découpez les tortillas en quatre carrés, que vous recoupez en deux en diagonale pour obtenir des triangles.

Disposez les tortillas sur une plaque de cuisson, salez-les et faites-les dorer au four de 10 à 15 minutes.

ASSEMBLAGE : Déposez sur chaque chip refroidie 1 cuillerée du mélange de crabe et décorez d'une feuille de coriandre avant de servir.

QUE PRÉPARER À L'AVANCE ? Vous pouvez faire la veille le mélange de crabe (en le conservant au réfrigérateur) et les chips (en les gardant dans une boîte hermétique).

Farce et patate

POMMES DE TERRE NOUVELLES FARCIES À LA FETA

Le mélange feta, olives et pignons de pin se niche avec délices au creux d'une pomme de terre bien tendre. Pour une présentation soignée, arrangez un petit bouquet de plantes aromatiques (thym et romarin) dans un demi-citron dont vous aurez coupé la base pour la stabilité.

Pour 24 pommes de terre farcies :

12 petites pommes de terre nouvelles, de même calibre
150 g de feta
65 g de pignons de pin
10 olives vertes broyées
1 cuillerée à soupe d'huile d'olive
1 cuillerée à soupe de raisins de Corinthe
1 zeste de citron vert râpé
1 pincée d'origan
1 pincée de poivre
24 petits brins de persil

Coupez légèrement les extrémités de chaque pomme de terre pour avoir des bases stables puis coupez-les en deux. Mettez les demi-pommes de terre dans une grande casserole et recouvrez d'eau. Salez. Portez à ébullition puis réduisez le feu et laissez frémir de 12 à 15 minutes ; vérifiez la cuisson en piquant avec une fourchette. Attention de ne pas laisser cuire trop longtemps. Égouttez et laissez refroidir.

Écrasez la feta à la fourchette ; incorporez les pignons de pin, les olives vertes, l'huile d'olive, les raisins de Corinthe, le zeste de citron, l'origan et le poivre. Mélangez soigneusement.

ASSEMBLAGE : Évidez le cœur de chaque moitié de pomme de terre avec une cuiller et remplissez avec le mélange de feta puis décorez d'un brin de persil.

QUE PRÉPARER À L'AVANCE ? Le mélange de feta peut se faire 2 jours avant et se conserver au frais : attention, n'incorporez les pignons de pin qu'à la dernière minute puis laissez en attente à température ambiante. Vous pouvez garnir les pommes de terre 4 heures avant de les servir.

Cigarillos

TORTILLAS DE DINDE FUMÉE ET GUACAMOLE

De croustillantes tortillas grillées enveloppent de la dinde fumée aux accents tex-mex. Servez cet amuse-gueule haut en saveurs sur un tapis de ciboulette. Arrosez-le de sangria sur un rythme de salsa.

Pour 24 cigarillos :

Sauce d'accompagnement :

- 18 cl de crème fraîche
- 3 cuillerées à soupe de feuilles de coriandre hachées
- 2 cuillerées à café de mélange pour guacamole
- 2 cuillerées à café de jus de citron vert
- 1 pincée de sel

Tortillas de dinde :

- 125 g de filets de dinde fumée hachés
- 1/2 poivron vert égrené et coupé en petits dés
- 1 cuillerée à café d'ail en poudre
- 1 pincée d'origan
- 1 cuillerée à soupe de mélange pour guacamole
- 6 tortillas de blé
- huile
- 24 cure-dents en bois

Préparation de la sauce d'accompagnement : Mettez dans un bol la crème fraîche, la coriandre, 2 cuillerées à café de mélange pour guacamole, le jus de citron vert et le sel. Fouettez vigoureusement puis placez au réfrigérateur.

Dans un autre bol, mélangez soigneusement la dinde hachée, le poivron vert, l'ail, l'origan et 1 cuillerée à soupe de mélange pour guacamole.

Préchauffez le four à 200 °C (thermostat 6).

Découpez aux ciseaux dans chaque tortilla quatre cercles de 6 cm de diamètre. Disposez-les six par six sur un plan de travail, badigeonnez-les d'huile et déposez vers le bas de chacun 1 cuillerée à café de préparation à la dinde fumée. Roulez en serrant bien et fermez en piquant un cure-dent. Disposez les rouleaux sur la plaque du four recouverte d'une feuille de papier sulfurisé, badigeonnez d'huile et faites dorer de 10 à 12 minutes. Retirez les cure-dents avant de servir.

QUE PRÉPARER À L'AVANCE ? La sauce d'accompagnement peut être faite 48 heures avant et les rouleaux grillés la veille puis conservés au réfrigérateur. Réchauffez-les dans un four à 175 °C (thermostat 4) avant de les servir.

Chiche !

PITAS AU CUMIN ET PAPRIKA, NAPPÉS D'HOUMMOS

La purée de pois chiches est onctueuse et délicieusement parfumée. Si vous n'avez pas le temps de préparer votre propre hoummos, vous en trouverez dans les épiceries orientales : vos amis n'y verront que du feu.

Pour 48 petits pains :
1 grosse cuillerée à café de cumin moulu
1 cuillerée à café de paprika
sel
2 cuillerées à soupe d'huile
4 petites pitas (10 cm de diamètre)
1 grosse et 1 petite boîte de pois chiches égouttés
60 ml de beurre de sésame (tahini)
3 cuillerées à soupe d'eau
2 cuillerées à soupe de jus de citron
2 cuillerées à café d'huile d'olive
1 cuillerée à café de coriandre moulue
1/2 cuillerée à café d'ail écrasé
1 pincée de poivre de Cayenne
48 brins de coriandre

Préchauffez le four à 175 °C (thermostat 4).

Mélangez 1/2 cuillerée à café de cumin, le paprika et une pincée de sel dans un bol. Ajoutez l'huile et fouettez. Ouvrez les pitas en deux et badigeonnez d'huile aromatisée l'intérieur de chaque moitié puis coupez-les en six. Disposez les 48 parts sur une plaque recouverte de papier sulfurisé, face assaisonnée vers le haut. Enfournez à mi-hauteur et faites dorer de 8 à 10 minutes.

Préparez l'hoummos, en versant le contenu égoutté de la grosse boîte de pois chiches dans le bol du robot électrique. Ajoutez le beurre de sésame, l'eau, le jus de citron, l'huile d'olive, la coriandre, l'ail, le poivre de Cayenne, 1 cuillerée à café de cumin et une pincée de sel. Mixez pour obtenir un mélange lisse et homogène.

Assemblage : Versez l'hoummos dans une poche en plastique dont vous découperez un des coins. Pressez et déposez environ 1 cuillerée à café de pâte sur chaque part de pita. Pour le décor, déposez un brin de coriandre et un pois chiche.

Que préparer à l'avance? Les pitas peuvent être assaisonnés et grillés 3 jours avant, puis conservés dans une boîte hermétique. L'hoummos peut être fait l'avant-veille et conservé au frais. Garnissez les petits pains 30 minutes avant de les servir.

Rosettes de peperoni

FEUILLETÉ DE PEPERONI À L'EMMENTAL ET SA MOUTARDE AU MIEL

La première fois que nous avons essayé cette recette, nous avons succombé : oubliant toute mesure, nous avons tout dévoré jusqu'à la dernière miette. Méfiez-vous de ces rosettes savoureuses et croustillantes qui vont réveiller la gourmandise des plus pincés ! En conséquence, prévoyez large : doublez ou triplez les proportions !

Pour 48 rosettes :
70 g d'emmental râpé
1 petite cuillerée à café de sauge
1 petite cuillerée à café d'origan
poivre
1 rectangle de pâte feuilletée
2 cuillerées à soupe de moutarde au miel
60 g de peperoni coupé en fines rondelles (charcuterie italienne)
1 œuf battu

Mélangez dans un bol l'emmental, la sauge, l'origan et le poivre.

Déroulez la pâte feuilletée sur une surface farinée, coupez-la en deux dans le sens de la longueur et posez le grand côté devant vous. Étalez régulièrement la moutarde sur les deux moitiés en ménageant une bande de 2,5 cm sur le bord du haut. Répartissez les rondelles de peperoni sur la pâte et saupoudrez d'emmental. Badigeonnez la bande du haut avec l'œuf battu. Roulez les deux pâtes feuilletées du bas vers le haut en serrant bien. Posez les rouleaux sur leurs « coutures » et laissez-les refroidir au réfrigérateur pendant 30 minutes.

Préchauffez le four à 200 °C (thermostat 6).

Coupez les rouleaux en rondelles de 6 à 7 mm et disposez-les à plat, en les espaçant d'au moins 2,5 cm, sur une plaque de cuisson recouverte de papier d'aluminium. Faites dorer en plusieurs fournées (14 minutes environ).

QUE PRÉPARER À L'AVANCE ? La pâte feuilletée peut être fourrée et roulée la veille puis placée au réfrigérateur. Elle se conserve aussi 2 semaines au congélateur : décongelez, puis coupez et cuisez en suivant les instructions.

Figures libres

PETITES BRIOCHES DE MAÏS

À LA CRÈME D'OLIVES ET DE FIGUES

Le secret de la réussite de ces bouchées ? Leur température. Servez-les bien chaudes pour que tout l'arôme de la crème de figues et d'olives (une variante impertinente de la célèbre tapenade) s'épanouisse sous le palais. Faites éclater les notes jaune d'or des brioches de maïs en les disposant sur un plat noir.

Pour 48 bouchées :

Brioche :

180 g de polenta
120 g de farine de blé
2 cuillerées à café de levure
1 grosse cuillerée à café de sel
70 g de beurre coupé en petits dés
2 gros œufs
36 cl de crème fraîche
3 cuillerées à soupe de miel

Crème :

350 g de figues séchées équeutées et hachées
12,5 cl d'eau
125 g d'olives noires dénoyautées et hachées
80 g de pignons de pin
2 cuillerées à soupe de vinaigre balsamique
2 cuillerées à soupe d'huile d'olive
2 cuillerées à soupe de câpres égouttées et hachées
2 cuillerées à café de thym
poivre
petits brins de ciboulette pour le décor

Préchauffez le four à 200 °C (thermostat 6).

Huilez un plat à four de 22 cm x 32 cm. Mélangez la polenta, la farine, la levure et le sel dans le bol du mixeur puis ajoutez le beurre et mixez pour obtenir une pâte friable que vous transvasez dans une terrine.

Mettez les jaunes d'œufs dans un saladier, ajoutez la crème et le miel ; fouettez puis versez la préparation dans la terrine en mélangeant constamment. Battez les blancs en neige bien ferme, ajoutez-les progressivement à la pâte.

Versez la pâte dans le plat huilé et faites cuire 15 minutes environ, en vérifiant la cuisson à l'aide d'un couteau piqué au centre. Laissez refroidir et baissez la température du four à 175 °C (thermostat 4).

Mettez les figues dans une petite casserole, additionnez d'eau et faites chauffer à feu moyen 7 minutes environ jusqu'à ce que le liquide s'évapore : vous obtiendrez des figues moelleuses. Transvasez dans un bol, ajoutez les olives hachées, les pignons de pin, le vinaigre, l'huile d'olive, les câpres, le thym et le poivre. Mélangez bien.

ASSEMBLAGE : Retirez la croûte de la brioche de maïs avec un couteau et découpez des cubes de 2,5 cm de côté. Garnissez chacune des bouchées de 1 cuillerée à café de crème de figues. Disposez-les sur une plaque de cuisson, recouvrez d'une feuille d'aluminium et enfournez 5 minutes pour qu'elles soient bien chaudes. Vous pouvez déposer quelques brins de ciboulette avant de servir.

QUE PRÉPARER À L'AVANCE ? La crème de figues peut être préparée 3 jours avant (mettez de côté les pignons de pin, que vous ajouterez à la dernière minute). La brioche de maïs peut être confectionnée la veille. Garnissez vos bouchées 2 heures avant de les servir et réchauffez-les suivant les instructions.

Pommes d'or

SALADE DE TOMATES SÉCHÉES SUR UN LIT DE POLENTA

Un petit truc infaillible pour réussir la cuisson de la polenta : dans la phase finale, remuez alternativement avec un fouet, pour éviter la formation de grumeaux, et une spatule, qui, passée au fond et sur les bords, empêche la pâte d'attacher. Les tomates séchées sont utilisées en Provence et, surtout, en Italie.

Pour 36 pièces :
70 cl d'eau
1 petite cuillerée à café de sel
75 g de polenta
80 ml de crème fraîche
60 g de parmesan râpé

Salade :
30 cl de tomates séchées à l'huile, égouttées
3 cuillerées à soupe de basilic haché
1 cuillerée à soupe de vinaigre balsamique
1 petite cuillerée à café d'ail en poudre
poivre

Huilez un plat à four de 20 cm de côté. Faites bouillir l'eau à feu moyen dans une casserole épaisse. Versez la polenta en pluie en remuant avec un fouet. Baissez la température de cuisson et laissez frémir une dizaine de minutes, en remuant fréquemment. Ajoutez la crème en remuant vigoureusement. Poursuivez la cuisson encore 10 minutes pour obtenir une pâte épaisse et moelleuse. Retirez du feu, incorporez le parmesan, toujours à l'aide du fouet. Versez la polenta dans le plat à four et répartissez régulièrement à la spatule. Faites refroidir puis placez au réfrigérateur.

Placez dans un saladier les tomates séchées, le basilic, le vinaigre balsamique, l'ail et le poivre ; mélangez.

ASSEMBLAGE : Préchauffez le four à 150 °C (thermostat 2/3). Découpez 36 cubes dans la polenta froide et recouvrez-les de 1/2 cuillerée à café de salade de tomates. Recouvrez d’aluminium ménager et enfournez de 8 à 10 minutes. Servez chaud.

Que préparer à l’avance? Vous pouvez préparer la salade et la polenta l’avant-veille et garnir les cubes la veille. Réchauffez en suivant les instructions.

Jolis cœurs

CŒURS D'ARTICHAUTS ENROBÉS D'UNE CRÈME DE FROMAGES À L'ESTRAGON

Une fraîcheur toute printanière. Servez ces cœurs fondants, encore froids, autour de feuilles d'artichaut sur un tapis de persil.

Pour 24 bouchées :
100 g de parmesan râpé
2 cuillerées à soupe de persil haché
100 g de fromage blanc à température ambiante
75 g de fromage de chèvre frais, à température ambiante
2 cuillerées à café de zeste de citron râpé
1 cuillerée à café d'estragon
poivre
2 boîtes de cœurs d'artichauts, égouttés et coupés en dés de 4 cm

Dans un bol, mélangez le parmesan râpé et le persil haché.

Écrasez le fromage de chèvre frais, ajoutez le fromage blanc, le zeste de citron, l'estragon et le poivre. Ajoutez les cœurs d'artichauts et remuez doucement pour enrober complètement chaque cœur. Roulez chaque cœur dans le bol de parmesan aromatisé. Disposez les cœurs sur une plaque recouverte de papier sulfurisé. Faites refroidir au réfrigérateur 1 heure environ. Laissez reposer à température ambiante 30 minutes avant de servir.

QUE PRÉPARER À L'AVANCE ? La crème de fromages peut être faite 3 jours avant et conservée au frais ; sortez-la du réfrigérateur avant d'enrober les cœurs d'artichauts. Ceux-ci peuvent être préparés la veille et conservés au frais.

Fines bouches

Des saveurs délicates et parfumées à offrir
avec des alcools raffinés et des vins précieux.

Coquilles Saint-Jacques fondantes, asperges craquantes, tomates acidulées, fromages capricieux, feuilles d'artichaut décoratives, autant d'ingrédients hauts en couleurs et en saveurs à (re)découvrir dans ce chapitre et à servir autour d'alcools choisis. Débouchez une ou deux bouteilles et laissez-vous emporter par ces mariages harmonieux de saveurs.

Sachez célébrer les grands – et les petits – bonheurs de la vie : sabrez un grand champagne ou servez votre apéritif préféré et surprenez vos amis avec ces arômes nouveaux.

Pétillantes occasions

On n'imagine pas une grande occasion sans champagne : fiançailles, mariage, naissance, promotion, signature d'un contrat, etc. sont autant d'événements qui méritent d'être célébrés dignement.

Pour un cocktail réunissant une vingtaine de personnes, achetez une caisse de champagne, ou de bon mousseux que vous aurez pris la précaution de goûter auparavant. Choisissez des flûtes, plutôt que des coupes qui laissent échapper les bulles trop vite, et, bien sûr, n'oubliez pas le seau à champagne.

Avant l'arrivée de vos invités, placez une première bouteille de champagne dans le seau à glace et conservez les autres au réfrigérateur. Procurez-vous aussi quelques bouteilles d'eau minérale gazeuse. Disposez les flûtes sur un plateau et servez vos invités au fur et à mesure de leur arrivée.

Pour une réception de trois heures, servez deux rations de *Nouettes de thon* (page 103), de délicieuses bouchées de thon nouées dans de la ciboulette, et deux séries de *Poulet gourmand* (page 113). Ajoutez aussi des tartelettes aux noix et aux raisins, nappées de brie fondu (*Pas si tartes !,* page 119) et pour couronner le tout *Le cœur sur la main* (page 107), qui offre un heureux mariage de basilic et de parmesan. Pour combler les plus affamés, servez aussi des canapés de pain de seigle noir garnis de saumon fumé ou tartinés de fromage blanc aux fines herbes, de caviar ou d'œufs de lump.

Soignez l'apéritif

Certaines occasions méritent un petit plus : un choix d'apéritifs variés, des pinces et un seau à glace sur un plateau et des verres en cristal (prévoyez-en un ou deux en plus). Offrez aussi, bien sûr, de l'eau gazeuse, des sodas et des jus de fruits.

Pour quatre à six personnes, comptez une ration de *Brochettes caprese* (page 101), mariage toujours réussi de la mozzarella, de la tomate et du basilic. Surprenez vos convives avec des *Bouquets chinois* (page 117), aux arômes très modernes, et réveillez les palais avec des bouchées de *Fraîcheur exotique* (page 105).

Fugace fougasse

FOCACCIA AU CONFIT D'OIGNONS ET À LA CRÈME DE FROMAGES

La focaccia est un pain plat au levain et à l'huile d'olive venu d'Italie. Nappé d'un confit d'oignons avec une crème de fromages et couronné d'une pointe d'asperge, c'est une pura maraviglia, *qui ne traînera pas sur les plateaux. Servez avec un pinot grigio ou un chianti.*

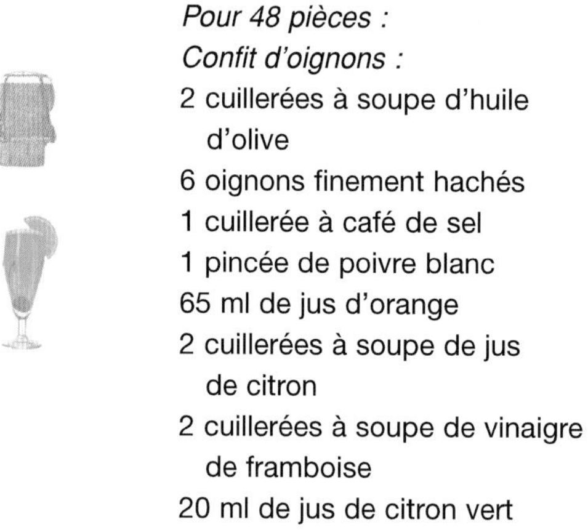

Pour 48 pièces :

Confit d'oignons :

2 cuillerées à soupe d'huile d'olive
6 oignons finement hachés
1 cuillerée à café de sel
1 pincée de poivre blanc
65 ml de jus d'orange
2 cuillerées à soupe de jus de citron
2 cuillerées à soupe de vinaigre de framboise
20 ml de jus de citron vert
1 grosse cuillerée à soupe de zeste de citron
2 cuillerées à café d'estragon

Crème de fromages :

60 g de fromage de chèvre frais à température ambiante
60 g de fromage blanc à température ambiante
30 g de parmesan râpé

48 pointes d'asperges blanchies en morceaux de 4 cm
20 ml d'huile d'olive
1 focaccia coupée en 48 cubes de 3 cm

Faites chauffer l'huile d'olive à feu moyen dans une grande poêle; ajoutez les oignons, salez et poivrez, faites-les revenir 15 minutes sans laisser brunir.

Mélangez dans un bol le jus d'orange, le jus de citron, le vinaigre, le jus de citron vert, le zeste de citron et l'estragon. Versez le mélange sur les oignons et faites mijoter de 12 à 15 minutes : le liquide est absorbé et les oignons sont tendres et moelleux. Transvasez dans un bol et laissez refroidir.

Écrasez le fromage de chèvre dans un saladier, ajoutez et mélangez le fromage blanc et le parmesan. Roulez les asperges dans une assiette creuse contenant un fond d'huile d'olive, salez et poivrez. Préchauffez le four à 190 °C (thermostat 5).

ASSEMBLAGE : Badigeonnez d'huile d'olive les morceaux de focaccia. Déposez sur chacun 1/2 cuillerée à café de crème de fromages, 1 cuillerée à café de confit d'oignons et un morceau d'asperge. Enfournez de 3 à 5 minutes.

QUE PRÉPARER À L'AVANCE ? Le confit d'oignons peut être fait 3 jours avant et conservé au frais, de même que la crème de fromages. Garnissez les cubes de focaccia 4 heures avant de les servir et réchauffez-les au dernier moment.

Une pointe de tendresse

ASPERGES SERVIES AVEC UNE SAUCE CITRONNÉE À L'ESTRAGON

Présentez les asperges en bouquet dans des verres en cristal et la crème dans une coupe assortie. Ne faites pas votre préparation à la dernière minute : il faut servir l'ensemble bien frais.

Pour 48 pointes

Sauce d'accompagnement :

175 ml de crème fraîche
65 ml de mayonnaise
3 cuillerées à soupe d'oignon rouge haché
2 cuillerées à soupe de jus de citron
1 grosse cuillerée à soupe de câpres, égouttées et hachées
2 cuillerées à café de zeste de citron râpé
2 cuillerées à café d'estragon
1/2 cuillerée à café d'oignon en poudre
1/2 cuillerée à café de sucre en poudre
poivre

Asperges :

48 petites asperges
75 cl de glace
1,5 l d'eau
1 grosse cuillerée à café de sel

Mélangez au fouet la crème fraîche, la mayonnaise, l'oignon, le jus de citron, les câpres, le zeste de citron, l'estragon, la poudre d'oignon, le sucre et le poivre. Faites refroidir au moins 2 heures au réfrigérateur.

Faites cuire les asperges à la vapeur de 6 à 8 minutes (elles seront encore croquantes); vérifiez la cuisson à l'aide d'une fourchette. Versez dans un saladier l'eau, la glace et le sel; plongez les asperges dans l'eau glacée. Quand elles sont froides, déposez-les sur une serviette et mettez-les au réfrigérateur. Les asperges et la sauce sont servies froides.

QUE PRÉPARER À L'AVANCE? Vous pouvez faire la sauce l'avant-veille et cuire les asperges la veille. Conservez l'ensemble au réfrigérateur jusqu'au moment de servir.

Brochettes caprese

BROCHETTES DE TOMATES CERISES ET DE MOZZARELLA

Un joli coup d'œil aux couleurs de l'Italie à servir en plein été quand les tomates ont toute leur saveur. Glissez aussi quelques tomates jaunes pour ensoleiller votre table.

Pour 24 brochettes :
1 cuillerée à soupe de vinaigre balsamique
huile d'olive
poivre et sel
115 g de mozzarella en dés de 1,5 cm
24 petites tomates cerises
24 feuilles de basilic frais
24 piques en bois (voir note page 104)

Mélangez au fouet le vinaigre balsamique et 1 cuillerée à soupe d'huile d'olive, salez et poivrez.

Roulez la mozzarella dans une assiette creuse contenant un fond d'huile d'olive poivrée. Goûtez et ajoutez du sel si nécessaire.

Assemblage : Enfilez une tomate cerise sur la brochette, puis une feuille de basilic pliée en deux et un dé de mozzarella. Alignez les brochettes sur un plateau, badigeonnez-les de vinaigrette et servez aussitôt.

Que préparer à l'avance ? La vinaigrette peut être réalisée 3 jours avant et mise au réfrigérateur. Vous pouvez aussi enfiler les brochettes 3 heures avant de les servir, en les conservant à température ambiante sous un film plastique.

Nouettes de thon

CUBES DE THON, CIBOULETTE ET SAUCE AU MISO ET À L'ORANGE

Combien de fois avons-nous servi ce plat à des personnes qui prétendaient détester la cuisine japonaise en général et le miso en particulier? Ils ont tous succombé! Faites comme eux : adoptez cette sauce au misso et à l'orange et servez-la avec le poisson, en vinaigrette autour de quelques crudités, ou tout simplement pour parfumer un poulet.

Pour 36 piques :
Sauce d'accompagnement :
3 cuillerées à soupe de jus d'orange
2 cuillerées à soupe de miso (voir note page suivante)
1 cuillerée à café de jus de citron vert
65 ml d'huile de sésame
3 cuillerées à soupe d'huile de tournesol

36 beaux brins de ciboulette (13 cm)
600 g de thon de première qualité en cubes de 2 cm
1 cuillerée à soupe d'huile
sel et poivre
36 piques en bois de 12,5 cm (voir note page suivante)

Avec un fouet, mélangez dans un bol le jus d'orange, le miso et le jus de citron vert. Versez l'huile de sésame et l'huile de tournesol en un mince filet tout en continuant de fouetter la sauce. Mettez au réfrigérateur.

Faites bouillir de l'eau salée, dans laquelle vous plongez quelques secondes les brins de ciboulette pour les attendrir. Retirez-les et transférez-les aussitôt dans de l'eau salée glacée. Égouttez-les et faites-les sécher sur une serviette.

Préchauffez le gril à haute température.

Roulez les cubes de thon dans l'huile d'olive, salez et poivrez. Grillez-les 3 minutes environ, en les tournant au moins une fois : l'extérieur doit être cuit, l'intérieur encore cru.

Assemblage : Préchauffez le four à 175 °C (thermostat 4). Roulez autour de chaque cube de thon un brin de ciboulette que vous fixez avec une brochette. Disposez les brochettes sur une grande feuille de papier d'aluminium que vous refermez complètement. Enfournez 5 minutes pour réchauffer le thon et servez avec la sauce.

Que préparer à l'avance ? La sauce peut être faite 3 jours avant et les cubes de thon le matin pour le soir et conservés au frais. Réchauffez-les avant de servir.

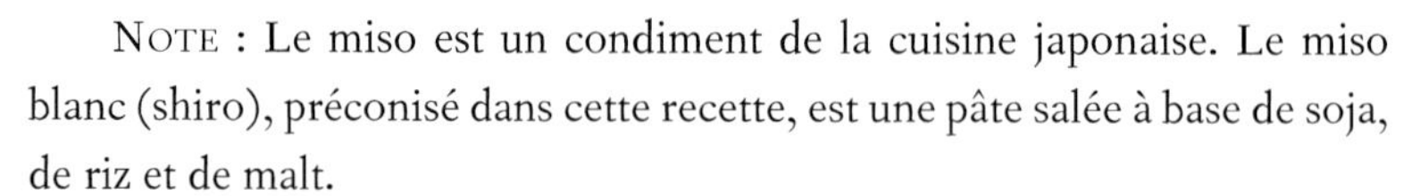

Note : Le miso est un condiment de la cuisine japonaise. Le miso blanc (shiro), préconisé dans cette recette, est une pâte salée à base de soja, de riz et de malt.

Plongez les piques en bois une quinzaine de minutes dans de l'eau pour éviter qu'elles n'éclatent et ne brûlent à la cuisson.

Fraîcheur exotique

RADIS SERVIS AVEC DU YAOURT
AU CONCOMBRE ET À LA MENTHE

Voici des crudités délicieusement fraîches et terriblement simples à préparer, qui apporteront une note indienne à vos tables d'été. Vous risquez de renoncer définitivement aux radis beurre !

Pour 24 radis :
24 petits radis bien rouges
2 yaourts au lait entier
125 ml de purée de concombre (1/2 concombre)
60 ml de crème fraîche
3 branches de menthe fraîche hachée
1 petit oignon rouge finement haché
1 petite cuillerée à soupe de vinaigre de riz
1 cuillerée à café de jus de citron vert frais
1/2 cuillerée à café de gingembre moulu
sel

Avec un couteau, entaillez les radis en croix jusqu'au milieu, plongez-les dans un bol d'eau glacée que vous mettez au réfrigérateur 1 heure au moins pour qu'ils s'ouvrent. Égouttez.

Mélangez dans un bol le yaourt, le concombre, la crème fraîche, la menthe, l'oignon, le vinaigre, le jus de citron, le gingembre et une pincée de sel. Mettez la sauce au frais jusqu'au moment de servir. Les invités tremperont les radis dans la sauce.

QUE PRÉPARER À L'AVANCE ? Les radis et la sauce peuvent être faits la veille (attention : ajoutez le concombre et la menthe au dernier moment).

Le cœur sur la main

NOIX D'AÏOLI AU PARMESAN BLOTTIE DANS UNE FEUILLE D'ARTICHAUT

Vous pouvez préparer ces artichauts la veille et ce n'est pas la moindre de leur qualité. Attendez-vous aussi à recevoir bien des éloges ! N'oubliez pas de placer à portée de main une coupelle où vos invités pourront déposer les feuilles « usagées ».

Pour 48 pièces :
2 gros artichauts
1/2 citron
190 ml de mayonnaise
40 g de parmesan râpé
3 cuillerées à soupe de basilic frais haché
1 cuillerée à soupe de jus de citron
1 pincée d'ail écrasé
poivre
persil frais pour la garniture

Tranchez le pied des artichauts et retirez les trois premières rangées de feuilles. Coupez la pointe sur 2 à 3 cm ainsi que l'extrémité piquante des feuilles du bas, avec des ciseaux. Frottez un oignon sur toutes les parties coupées pour éviter qu'elles ne se décolorent. Cuisez l'artichaut à la vapeur au moins 45 minutes. Laissez refroidir.

Mélangez dans un bol la mayonnaise, le parmesan, le basilic, le jus de citron, l'ail et le poivre. Mettez au réfrigérateur.

Ôtez les feuilles de l'artichaut en commençant par le bas ; alignez les plus belles sur une plaque et jetez celles qui sont trop fines. Retirez le foin avec une cuiller et grattez le cœur avec un couteau. Hachez les cœurs et ajoutez-les à la sauce.

ASSEMBLAGE : Déposez 1 cuillerée à café de sauce dans chaque feuille d'artichaut ; disposez-les sur un plat, la pointe tournée vers l'extérieur. Décorez avec du persil haché.

QUE PRÉPARER À L'AVANCE ? Vous pouvez cuire les artichauts l'avant-veille, les couvrir et les conserver au frais, et faire la mayonnaise 3 jours avant, en la gardant au réfrigérateur. Garnissez les feuilles la veille, couvrez-les d'un film plastique et glissez-les dans le réfrigérateur.

Truffons de tofu

CÉLERI FOURRÉ DE TOFU AUX FINES HERBES

Les végétariens ne seront pas les seuls à se laisser séduire par ces truffons diététiques et surtout délicieusement parfumés.

Pour 48 truffons :
240 g de tofu bien ferme
4 cuillerées à soupe de basilic frais haché
1 cuillerée à soupe d'aneth haché
1 cuillerée à soupe d'huile d'olive
1 cuillerée à soupe de jus de citron
1/2 cuillerée à café d'ail écrasé
4 cuillerées à café de sel
poivre
4 branches de céleri, épluchées
3,5 l d'eau
1,5 l de glace
24 brins d'aneth frais pour le décor

Mettez le tofu, le basilic, l'aneth haché, l'huile d'olive, le jus de citron, l'ail, une pincée de sel et le poivre dans le bol du robot électrique. Mixez pour obtenir un mélange lisse et crémeux, et placez-le au réfrigérateur.

Coupez une lamelle le long de chaque branche de céleri pour en assurer la stabilité, puis découpez des bâtonnets de 2,5 cm de long. Faites-les blanchir 1 minute environ dans 2 l d'eau bouillante additionnée de 2 cuillerées à café de sel. Versez dans un saladier la glace, 1 grosse cuillerée à café de sel et 1,5 l d'eau. Plongez-y le céleri pour arrêter la cuisson. Transférez les bâtonnets sur une serviette propre et mettez-les au réfrigérateur.

ASSEMBLAGE : Déposez 1 cuillerée à café de crème de tofu sur chaque bâtonnet de céleri et décorez avec un brin d'aneth.

QUE PRÉPARER À L'AVANCE ? Vous pouvez préparer la crème de tofu l'avant-veille et blanchir le céleri la veille. Assemblez les truffons 3 heures avant de les servir et sortez-les du réfrigérateur au dernier moment.

Croustilles Saint-Jacques

NOIX DE SAINT-JACQUES SUR UN BISCUIT DE PARMESAN

Triomphe garanti avec ces petites merveilles de gourmandise. Choisissez chez votre fromager du parmesan de premier choix et demandez-lui de le râper sous vos yeux, si possible un jour sec. Par sécurité, faites un essai de cuisson préalable. L'autre solution consiste bien sûr à acheter de petits biscuits ronds au fromage et à y déposer les noix de Saint-Jacques.

Pour 12 croustilles :
40 g de parmesan râpé
12 petites noix de Saint-Jacques
sel et poivre blanc
huile à la truffe blanche (facultatif)
30 g de beurre
brins de ciboulette pour le décor

Préchauffez le four à 200 °C (thermostat 6).

Déposez des petits tas de parmesan (1 cuillerée à café) tous les 4 cm sur une feuille de papier d'aluminium ménager. Aplatissez chaque tas à la taille d'une médaille. Enfournez de 8 à 10 minutes; sortez du four dès que le fromage est gratiné et légèrement doré. Laissez refroidir ; transférez-les soigneusement à l'aide d'une spatule sur une plaque et couvrez-les d'un film plastique.

Salez et poivrez les noix de Saint-Jacques. Faites fondre à feu moyen 15 g de beurre et poêlez la moitié des noix 2 minutes de chaque côté puis déposez-les sur du papier absorbant. Essuyez la poêle et renouvelez l'opération avec les autres noix.

ASSEMBLAGE : Déposez une noix de Saint-Jacques sur chaque biscuit de parmesan, versez éventuellement une goutte d'huile de truffe et décorez de brins de ciboulette. Servez aussitôt.

QUE PRÉPARER À L'AVANCE? Les biscuits de parmesan se conservent 2 jours à température ambiante dans une boîte hermétique ou 1 semaine au congélateur. Dans ce cas, décongelez-les avant de les garnir. Les noix de Saint-Jacques peuvent être à peine cuites le matin pour le soir, mises au frais et réchauffées dans un four à 175 °C (thermostat 4) pendant 3 à 5 minutes.

Poulet gourmand

BROCHETTES DE POULET AU CITRON ET POIS GOURMANDS

La juxtaposition du citron, du poulet et des pois gourmands encore craquants développe une fraîcheur tonique sous le palais. Présentez les brochettes sur un tapis de rondelles de citron diaphanes, le résultat sera spectaculaire.

Pour 36 brochettes :
600 g de blanc de poulet
en cubes de 2 cm
170 ml de jus de citron frais
3 cuillerées à soupe
de sucre roux
2 cuillerées à soupe d'eau
2 petites cuillerées à soupe
de zeste de citron râpé
sel et poivre
75 g de farine
1 cuillerée à café de paprika
6 cuillerées à soupe d'huile
36 pois gourmands blanchis
et coupés en morceaux
de 2,5 cm
36 piques en bois
(voir note page 104)

Versez 3 cuillerées à soupe de jus de citron dans une assiette creuse et roulez-y les dés de poulet, que vous laissez mariner 1/2 heure.

Mélangez dans un bol le reste du jus de citron, le sucre roux, l'eau, le zeste de citron et une pincée de sel.

Égouttez le poulet et essuyez-le avec du papier absorbant. Mettez la farine, une pincée de sel, le paprika et le poivre dans une poche en plastique que vous agitez pour tout mélanger; ajoutez les morceaux de poulet, secouez pour les napper entièrement.

Faites chauffer 3 cuillerées à soupe d'huile dans une grande poêle, et faites-y dorer la moitié du poulet sur toutes les faces environ 4 minutes. Transférez-les avec une écumoire sur une planche couverte de papier absorbant. Essuyez la poêle et renouvelez l'opération avec les morceaux de poulet restants.

Roulez les dés de poulet dans le mélange citronné puis transvasez-les dans un grand plat à gratin. Mettez au réfrigérateur toute la nuit.

Assemblage : Préchauffez le four à 175 °C (thermostat 4). Piquez sur chaque brochette un demi-pois gourmand, un dé de poulet puis une seconde moitié de pois gourmand. Alignez les brochettes sur une feuille de papier aluminium que vous repliez ; enfournez 5 minutes. Les brochettes se servent chaudes ou tièdes.

Que préparer à l'avance ? Le poulet se prépare la veille et les brochettes peuvent être composées le matin pour le soir et placées au réfrigérateur. Réchauffez-les en suivant les indications ou sortez-les du réfrigérateur 20 minutes avant de les servir.

Bouquets chinois

CREVETTES NAPPÉES D'UN GLAÇAGE AIGRE-DOUX

La crevette est une vieille habituée des plateaux apéritif. Une pincée d'épices aux accents asiatiques la rajeunit avec bonheur. Pensez à placer à portée de main une coupelle pour les queues.

Pour 24 bouquets :

Glaçage :

80 ml d'eau
65 ml de vinaigre de riz assaisonné (voir note page suivante)
1 bulbe de citronnelle épluché et haché (2 cuillerées à café)
2 cuillerées à café de gingembre frais râpé
1 cuillerée à café de zeste de citron vert
1 pincée de poivre de Cayenne moulu
1 grosse cuillerée à café de Maïzena

Crevettes :

3 l d'eau
1 cuillerée à café de sel
24 grosses crevettes
24 branches de coriandre fraîche

Mélangez les 80 ml d'eau, le vinaigre, la citronnelle, le gingembre, le zeste de citron et le poivre. Dans une casserole, délayez la Maïzena avec 1 cuillerée à café d'eau puis versez, en mélangeant au fouet, le liquide vinaigré. Portez à ébullition à feu moyen en mélangeant une ou deux fois. Laissez bouillir 1 minute puis transvasez dans un bol que vous placez au réfrigérateur.

Faites bouillir les 3 l d'eau additionnés de 1 cuillerée à café de sel dans une grande casserole. Faites cuire les crevettes 3 minutes (la chair doit être opaque jusqu'au cœur). Égouttez-les et disposez-les sur un plateau à rebord. Mettez au réfrigérateur.

ASSEMBLAGE : Épluchez les crevettes en conservant la queue et incisez-les le long du dos sur toute leur longueur, en veillant à ne pas les transpercer. Rincez les crevettes à l'eau froide puis déposez-les sur une serviette pour absorber l'excès d'eau. Glissez une branche de coriandre dans la fente et badigeonnez de glaçage épicé avant de servir.

QUE PRÉPARER À L'AVANCE ? Le glaçage peut être fait 3 jours avant et les crevettes préparées la veille et conservées au frais : étalez le glaçage au dernier moment.

NOTE : Si vous ne trouvez pas de vinaigre de riz assaisonné, ajoutez 1 cuillerée à café de sucre et 1/2 cuillerée à café de sel dans 65 ml de vinaigre de riz pur.

Pas si tartes !

FONDUE DE BRIE SUR DES TARTELETTES AUX NOIX ET AUX RAISINS

On oublie souvent que les fromages à pâte fleurie se prêtent aussi aux préparations fondues, pour le plus grand bonheur des palais, mais, plutôt qu'un brie industriel, choisissez un fromage AOC, du brie de Meaux par exemple. Demandez à votre fromager de couper votre morceau dans un brie encore ferme : le fromage ne doit pas être coulant.

Pour 48 tartelettes :
250 g de grains de raisins noirs coupés en deux et épépinés
sel
4 brins de ciboulette hachés
1 cuillerée à soupe de vinaigre balsamique
2 cuillerées à café d'huile de noix
1 pincée de romarin frais haché
1 pincée d'ail écrasé
poivre
48 tartelettes prêtes à garnir
70 g de noix grillées et broyées
300 g de brie

Préchauffez le four à 160 °C (thermostat 3).

Mettez les grains de raisin et une pincée de sel dans le bol du robot électrique ; mixez grossièrement. Transvasez dans une passoire et laissez égoutter une dizaine de minutes. Versez la ciboulette, le vinaigre, l'huile, le romarin, l'ail et le poivre dans un bol ; ajoutez les raisins et mélangez bien.

ASSEMBLAGE : Disposez les tartelettes sur une plaque de cuisson et déposez dans chacune 1/2 cuillerée à café de noix broyées, 1 petit morceau de brie et autant du mélange de raisin (utilisez une fourchette pour ne pas prendre trop de liquide). Mettez au four et retirez dès que le fromage commence à fondre, au bout de 5 minutes. Surveillez bien la cuisson. Servez aussitôt.

QUE PRÉPARER À L'AVANCE ? La mixture de raisin peut se faire la veille et se conserver au frais (n'ajoutez l'huile de noix qu'au moment de servir) ; vous pouvez mettre les noix et le brie dans les tartelettes 6 heures avant de servir, mais réservez le mélange de raisins pour la dernière minute. Réchauffez en suivant les indications.

Tendres chevrettes

CANAPÉS AU FROMAGE DE CHÈVRE ET AU CONCOMBRE

Un trio de fraîcheurs, âpre du fromage, craquante du concombre et mordante de l'oignon : ces canapés sont un vrai cocktail de printemps que vous servirez à l'apéritif de midi. Choisissez pour cette recette un pain de mie frais et moelleux.

Pour 48 canapés :
20 cl de vinaigre de riz assaisonné (voir note de la page 118)
3 oignons rouges en fines lamelles (coupés en deux, puis émincés)
175 g de fromage de chèvre frais, à température ambiante
8 cl de fromage blanc, à température ambiante
poivre
12 tranches de pain de mie sans croûte en carrés de 8 cm
1 concombre coupé en demi-rondelles de 1 à 2 mm d'épaisseur

Plongez les oignons dans le vinaigre et laissez-les mariner une trentaine de minutes, pour qu'ils deviennent tendres. Égouttez-les et mettez-les au réfrigérateur.

Mélangez le fromage de chèvre et le fromage blanc dans un saladier, poivrez.

ASSEMBLAGE : Étalez 1 cuillerée à soupe de crème de fromages sur chaque tranche de pain que vous coupez ensuite en quatre suivant les diagonales. Déposez sur chaque triangle trois demi-rondelles de concombre et deux ou trois lamelles d'oignon.

QUE PRÉPARER À L'AVANCE ? La crème de fromages peut se faire 3 jours avant et se conserver au frais ; entreposez-la à température ambiante avant de l'étaler. Préparez les canapés 2 heures avant de les servir, couvrez-les d'un film plastique et entreposez-les à température ambiante.

Quelques cocktails

Martini classique

Un grand classique indémodable et incontournable. Un cocktail puissant dont l'extrême simplicité renforce encore l'attrait.

Pour quatre verres :
24 cl de gin ou de vodka
1 larme de vermouth

Versez le gin ou la vodka dans un shaker à cocktails rempli de glace, ajoutez le vermouth. Couvrez et agitez. Servez dans des verres glacés ; décorez de une ou deux olives ou d'un zeste de citron.

Jala-tini

Donnez un accent cajun à votre martini et décorez les verres avec un petit piment doux.

Pour quatre verres :
24 cl de vodka
1 cuillerée à café de piment doux épépiné et haché
2 cuillerées à café de zeste de citron
1/2 cuillerée à café d'ail grossièrement broyé

Mettez la vodka, le piment, le zeste de citron et l'ail dans un bocal en verre. Couvrez et laissez reposer à température ambiante 2 ou 3 jours pour que la vodka s'imprègne des différents arômes. Filtrez la vodka dans des verres multicolores, servez glacé avec des glaçons.

Margarita

Voici un cocktail universellement apprécié, basé sur une recette traditionnelle, un mélange de tequila et de jus de citron vert. Si vous ne le connaissez pas déjà, empressez-vous de l'ajouter à votre répertoire.

Pour quatre verres :
12 cl de tequila
12 cl de triple sec
12 cl de jus de citron vert frais
75 g de sucre semoule extrafin
gros sel pour givrer le bord du verre
4 rondelles de citron vert pour décorer

Givrez le bord des verres en les frottant avec une rondelle de citron vert et en les plongeant dans une assiette de gros sel. Versez la tequila, le triple sec et le jus de citron vert dans un shaker rempli de glace. Fermez et agitez vigoureusement. Filtrez le cocktail dans les verres et ajoutez une rondelle de citron vert.

Margarita à la pêche

Osez cette interprétation particulièrement fruitée de la margarita traditionnelle. Si vous recevez beaucoup de monde, préparez de grosses quantités longtemps à l'avance et placez-les au congélateur ; laissez reposer le mélange à température ambiante jusqu'à obtenir la bonne consistance.

Pour quatre verres :
1 grosse boîte de pêches au sirop égouttées
25 cl de jus d'orange
4 gros glaçons
12 cl de tequila
12 cl de liqueur de pêche
1 cuillerée à soupe de jus de citron frais
1 cuillerée à café de grenadine
4 tranches de pêche fraîche pour décorer

Mettez les pêches, le jus d'orange, les glaçons, la tequila, la liqueur de pêche, le jus de citron vert et la grenadine dans le mixeur jusqu'à obtenir un mélange homogène. Versez dans de grands verres à long drink (30 cl) et décorez d'une tranche de pêche ou d'une rondelle de citron vert.

Kir royal

Faut-il rappeler la recette du roi des cocktails ? Le cassis apporte une douceur parfumée au joyeux pétillement du champagne.

Pour quatre flûtes :
1 bouteille de champagne
6 cl de crème de cassis
Framboises fraîches pour décorer

Versez dans chaque flûte, ou coupe, 15 cl de champagne puis 1 cuillerée à soupe de crème de cassis ; décorez de quelques framboises avant de servir. Rebouchez la bouteille et remettez-la au frais.

Apricot sparkler

L'heureux mariage du champagne et de l'abricot pour un apéritif à servir dans les grandes occasions.

Pour quatre flûtes :
48 cl de champagne
12 cl de nectar d'abricot
brandy
4 morceaux de sucre

Versez dans chaque flûte 12 cl de champagne ; ajoutez 2 cuillerées à soupe (3 cl) de nectar d'abricot et une larme de brandy. Glissez un morceau de sucre dans chaque flûte, servez.

Index

A

B

C

D

E

M

N

O

P

Q

R

S

T

Crédits photographiques

Cyclamen (Emeryville, Ca) : 24 ; Dransfield & Ross : 38 ; Dupuis (Del Mar, Ca/Scottsdale, AZ) : 98, 102 ; Feast (Pasadena) : 32 ; The Folk Tree Collection (Pasadena) : 18, 62 ; Freehand (Los Angeles) : 73, 84 ; Ann Gish Studios (Newbury Park, CA) : 122 ; Joel, Inc. (Spokane) : 56, 100 ; Magpie (Manhattan Beach, CA) : 32, 68 ; Niki Stix (Novato, CA) : 100 ; Noteworthy (Los Angeles) : 120 ; Olivers (Pasadena) : 76 ; Quari (Manhattan Beach, CA) : 120 ; Rusty Nail (Ventura, Ca) : 76, 90 ; Salutations (Berverly Hills) : 106 ; San Marino Hardware (San Marino, Ca) : 120 ; Tesoro (Beverly Hills) : 73, 76, 81, 102 ; Translations (Dallas) : 106 ; Wally's (Los Angeles) : wine/spirits throughout ; Alison Wright Architects (Los Angeles) : 81 ; The Woods (Brentwood, CA) : 98 ; Zipper (Los Angeles) : couverture, 46, 84.